Couverture :
Chambord
Pages 2/3, 6/7 :
Chenonceau
Page 11 :
Chambord
Pages 112 et 129 :
***De la Trigonométrie*,**
Manessot-Malet, 1683

ISBN : 2-84790-151-5
Dépôt légal : 4e trimestre 2003
Imprimé en France

Crédit photographique :

Eparzier : 1, 6/7, 11, 12/13, 17, 18/19, 28/29, 30/31, 32/33, 34/35, 37, 40/41, 42/43, 44/45, 46/47, 48/49, 50/51, 55, 56/57, 59, 60/61, 64/65, 66/67, 70/71, 72/73, 76/77, 82/83, 84/85, 88/89, 92/93, 94/95, 96/97, 98/99, 108/109 ;
Jean Becker : 78/79 ; **Bénazet** : 14/15, 86/87, 100/101, 102/103, 110/111. **Slide/Cash** : 68/69 ; **Slide/Pinheira** : 80/81 ; **Pix/Moës** : 22/23 ; **Valoire** : 24/25, 26/27 ; **J.-P. Godeaut, reportage B. Siroux** : 38, 39 ; **SLB** : 74/75 ;
Dominique Franchet d'Espèrey : 62/63 ;
Château de Cheverny : 52/53.
Château de Valençay/Delinot : 104/105.
Château de Villandry : 106/107.
D.R. : 2/3, 112,121, 122/123.

Texte : F. Vivier
Collaboration : F. B. S.B..

LES CHATEAUX
DE LA LOIRE

Préface
Alain Decaux

LES "PETITS" MOLIÈRE

PRÉFACE

Faut-il admettre des priorités parmi les sept merveilles du monde ? Le colosse de Rhodes doit-il avoir le pas sur les jardins suspendus de Babylone, le temple d'Artémis sur les pyramides d'Egypte ? Au vrai, le merveilleux naît d'une violation du cours naturel des choses et toute classification ne pourrait relever que de la cuistrerie.

Pour ma part je n'en doute pas : les châteaux de la Loire forment ensemble la huitième merveille du monde. Et voici que, de nouveau, la tentation serait, entre tant de chefs-d'œuvre, de choisir et pis encore de comparer. Gardons-nous en. Quand la beauté atteint un tel degré de perfection, quand l'admiration se prolonge nécessairement par l'émotion, on regarde, on reçoit, on se tait.

Tout au plus pourrait-on admettre une classification chronologique, se demander pourquoi, dès le XVᵉ siècle, les demeures du Val de Loire commencent à oublier leur rôle de défense pour s'ouvrir à la clarté, se chercher – et se trouver – des lignes neuves en accord avec la douceur d'un paysage et d'un climat. Adieu à l'art militaire, préséance à l'art de vivre : il en fut ainsi de Montreuil-Bellay, de Langeais, du Plessis-Bourré. S'interroger aussi sur l'influence italienne, omniprésente à la génération suivante de ces demeures. Se dire que des Français, allant se battre en Italie, y ont rencontré des formes d'architecture qu'ils ont identifiées au bonheur. Ainsi ont-ils voulu les exporter, sinon telles qu'elles étaient implantées, du moins en annexant leurs auteurs.

Il leur est apparu que nul lieu en France n'était plus propre que le Val de Loire à accueillir ces formes-là. Chacun – si j'ose écrire – y ajouta sa pierre : voyez à Blois les apports successifs de Charles d'Orléans, de Louis XII et de François Iᵉʳ.

L'apothéose de Chambord ne peut se séparer de Léonard de Vinci, mais Vinci en France ne se conçoit pas sans François Iᵉʳ. De même que, si la galerie sur le Cher fut conçue à Chenonceau par l'Italienne Catherine de Médicis, nous ne devons pas oublier que celle-ci était avant tout reine de France.

S'il fallait un seul mot pour caractériser les châteaux de la Loire, je proposerais osmose. La France et l'Italie, les méandres d'un fleuve au cours humanisé, la douceur d'un climat, la lumière sans égale qui enveloppe choses et gens, les bâtiments que l'on édifie pour qu'ils s'intègrent idéalement à cet ensemble : tout cela aboutit à une harmonie sans égale en laquelle il faut reconnaître tout simplement cette grâce, "plus belle encore que la beauté", dont parle La Fontaine.

Et qu'en est-il si la grâce fait escorte à la beauté ?

Alain DECAUX
de l'Académie française

SOMMAIRE

AMBOISE

La superbe façade gothique flamboyante et l'imposante tour des Minimes qui dominent aujourd'hui la cité d'Amboise ne représentent qu'un cinquième de la construction du XVIe siècle.

Amboise fut l'une des premières résidences royales alliant la politique au séjour de plaisance. L'éperon rocheux était déjà occupé par les Romains. La raison en était simple : à ses pieds, la Loire était aisément franchissable et, très tôt, un pont flottant l'enjamba, tandis qu'une forteresse couronnait le site.

L'évêque de Tours, le futur ***saint Martin,*** célèbre pour avoir partagé son manteau avec un pauvre – car il ne pouvait donner qu'une moitié, l'autre appartenant à l'armée de Rome – vint à Amboise et y éleva

l'une des premières paroisses de France sur le site d'un temple païen voué à ***Mercure***. Dans l'île Saint-Jean, ***Clovis*** et ***Alaric II*** se jurèrent une paix éternelle, mais après la victoire de Vouillé, ***Clovis*** rompait l'accord en s'emparant des terres du Wisigoth. ***Louis le Bègue*** accorda Amboise aux ***comtes d'Anjou***, ce qui n'apporta pas la paix à la cité ; les ***comtes de Blois*** leur succédèrent puis le site devint la propriété de la famille ***d'Amboise***. En 1431, ***Charles VIII*** confisque Amboise, qui devient domaine royal.

Louis XI s'y installe et y entreprend des travaux, avant de se replier au Plessis-les-Tours. Il fait construire un logis aujourd'hui disparu. ***Charles VIII***, né et élevé à Amboise, veut, dès son avènement, un palais digne de son rang. Il commence ses travaux avant son expédition en Italie, en 1492. Si l'on se rapporte à ***Androuet du Cerceau***, l'Amboise de ***Charles VIII*** se divisait en trois cours : une basse-cour à l'est, une cour principale, au nord sur laquelle s'allongeait le logis du roi, et, au sud, le logis des Sept Vertus car sa façade était décorée des statues des trois vertus théologales (Vérité, Charité, Pitié) et des quatre vertus cardinales (Force, Tempérance, Prudence et Justice). A l'extrémité ouest, le donjon. De cet ensemble subsistent le logis du roi, la tour des Minimes et la tour Heurtaut, ainsi que la chapelle Saint-Hubert, merveilleux exemple du style gothique flamboyant.

Mais, en 1498, ***Charles VIII*** heurte malencontreusement le linteau d'une porte, ce qui semble sans importance jusqu'à ce qu'il se trouve mal et décède dans la nuit, sans être soigné, car personne ne s'était inquiété. ***Louis XII*** poursuivit les travaux, changeant légèrement les plans de son prédécesseur, puis céda Amboise à ***Louise de Savoie***, qui en fit sa résidence. ***François Ier*** fit surélever d'un étage le corps de logis en retour d'équerre. ***François Ier*** reçut ***Charles Quint*** en 1539 ; le château était si bien décoré que l'Empereur put gravir à cheval la rampe de la tour Heurtaut.

En 1560, le château vécut les heures tragiques de la conjuration d'Amboise : des huguenots, conduits par ***La Renaudie*** et inspirés par ***Condé***, voulurent s'emparer des ***Guise*** et de ***François II de Valois*** qui se réfugièrent à Amboise. De trahison en trahison, les conjurés finirent par devenir quelques milliers de cadavres pendus ou décapités au **château**. Les rois abandonnèrent Amboise qui échut alors à ***Gaston d'Orléans***, puis le château devint une prison d'Etat où furent enfermés ***Fouquet*** et ***Lauzun***. ***Napoléon*** accorda Amboise au sénateur ***Ducos*** qui en fit abattre une grande partie. La duchesse douairière ***d'Orléans*** (mère du futur ***Louis-Philippe Ier***, roi des Français) récupéra le château après la Révolution. L'émir ***Abd-El-Kader*** fut interné à Amboise en 1848 et, quatre ans plus tard, ***Louis-Napoléon Bonaparte*** lui rendit la liberté.

En 1872, le château était restitué à la famille ***d'Orléans***, Maison de France.

Un château royal

Amboise est un merveilleux exemple des demeures gothiques du XVe siècle dans lesquelles l'art de la Renaissance fait son apparition. Charles VIII poursuivit les travaux commencés par Louis XI et Commynes nous apprend que ses projets étaient aussi grandioses pour le château que pour la ville, mais ils l'étaient déjà avant l'enthousiasme du souverain pour l'Italie. Aussi, Amboise est un château français, même si certains artistes ramenés d'Italie comme Dominique de Cortone, dit le Boccador, ont séjourné à Amboise, les archives nous livrent les noms de Biard, François, Sourdeau, Trinqueau...

Pages suivantes

La salle de l'échanson

Dans cette salle située au rez-de-chaussée de l'aile Renaissance, le mobilier gothique flamboyant (crédence en chêne massif de la fin du XVe siècle) et le mobilier Renaissance (les deux tables à allonges sur piétement fixe) évoquent la vie de la Cour à Amboise. Au fond, le coffre en noyer sculpté de rinceaux et autrefois doré à la feuille provient du trousseau de mariage de Catherine de Médicis. Les deux tapisseries d'Aubusson ont été tissées au XVIIe siècle d'après des cartons de Lebrun : à gauche, le banquet de la reine Esther illustre une scène de la Bible, tandis qu'à droite, l'hommage de la famille Darius à Alexandre le Grand évoque l'Antiquité.

ANGERS

C'est à ***Louis IX*** que la postérité doit la formidable enceinte du château d'Angers. Il lui fallut à peine dix ans pour l'élever et ses dix-sept tours hautes de quarante à soixante mètres constituent encore aujourd'hui l'un des plus beaux exemples de l'architecture militaire défensive. ***Blanche de Castille*** et son fils avaient choisi de démontrer leur puissance à Angers, une capitale qui avait déjà mille ans d'histoire et avait excité beaucoup de convoitises. Angers fut la capitale des Andes, une peuplade gauloise ; les Romains la couvrirent de monuments, puis elle fut annexée par ***Childéric Ier*** à la fin du Ve siècle. C'est de cette époque que date la première enceinte. Angers se développa, bénéficiant du rayonnement des abbayes et monastères de la région. Sous ***Charles le Chauve***, elle connaît une vie intense ; de cette époque, date la seconde enceinte.

Dans les dernières années du IXe siècle apparaît la première maison d'Anjou, avec ***les comtes Foulques***. Le plus célèbre est le troisième, dit ***Foulques Nerra***. Haut en couleur, grand bâtisseur, il alterne périodes de péché et de repentir, excellentes, elles, pour son comté car il fait d'immenses donations au clergé et érige de nombreux édifices religieux. Le dernier, ***Foulques V***, marie son fils ***Geoffroy*** à ***Marie***, fille du roi d'Angleterre. ***Geoffroy***, qui orne son chapeau d'une branche de genêt, sera le premier des ***Plantagenêts***. Son fils, ***Henri II***, épousera ***Aliénor d'Aquitaine*** que ***Louis VII*** a eu la maladresse de répudier. Angers deviendra ainsi, au XIIe siècle, la seconde capitale de l'Angleterre et l'on y verra fleurir une nouvelle architecture dite style angevin ou Plantagenêt. Par ce mariage, les possessions anglaises sont plus importantes que celles des Capétiens sur le sol de France. Mais les querelles des héritiers ***Plantagenêts*** permettront à ***Philippe Auguste*** de reprendre Angers aux Anglais. En 1246, ***Louis IX*** donne l'Anjou à son jeune et impétueux frère ***Charles***, alors que ***Henri III Plantagenêt*** conserve le titre de ***comte d'Anjou*** jusqu'au traité de Paris en 1259. Hélas, ***Charles***, qui a hérité de la Provence par son mariage, part conquérir la Sicile, et six mille Angevins partis avec lui périront lors du massacre des Vêpres siciliennes, le jour de Pâques 1282. ***Philippe de Valois*** réunit à nouveau l'Anjou à la couronne de France, puis ***Jean le Bon*** l'érige en duché-pairie pour son fils ***Louis***, premier duc héréditaire d'Anjou. C'est à ***Louis Ier*** que l'on doit l'un des chefs-d'œuvre du célèbre lissier parisien ***Nicolas Bataille*** : la tapisserie de l'Apocalypse.

Le dernier des ***ducs d'Anjou*** fut le plus célèbre ; ce fut le merveilleux ***roi René***, prince lettré, artiste et mécène. Angers connut alors une époque aussi heureuse que florissante intellectuellement. Il transforma le château médiéval en une résidence élégante et fit aménager une galerie pour assister aux fêtes auxquelles il avait donné une impulsion nouvelle, n'hésitant pas à faire revivre les spectacles de chevalerie. Le rayonnement d'Angers excita la convoitise de ***Louis XI***, qui finit par persuader le ***roi René*** de se replier sur sa cour de Provence. Le ***roi René*** mourut en 1480 ; en 1481, l'Anjou était rattaché à la couronne de France.

Pendant les guerres de Religion, Angers fut le théâtre de violents affrontements. Pour se venger de ses attirances calvinistes, ***Henri III*** ordonna au gouverneur de la forteresse de la démolir, mais celui-ci y mit tant de lenteur que seul le haut des tours était détruit lorsque le roi mourut. C'est au château que ***Henri IV*** mit un terme aux violences de la Ligue en mariant la fille du ***duc de Mercœur***, chef des Ligueurs, au fils qu'il avait eu de la belle ***Gabrielle d'Estrées. Marie de Médicis*** voulut s'y installer, en 1620, mais une nouvelle querelle avec son fils, ***Louis XIII***, se solda par la dispersion des troupes de la reine aux Ponts-de-Cé.

En 1652, ***Mazarin*** soumet Angers, qui vient de se déclarer pour la Fronde. ***Louis XIV*** transforme le château en prison d'Etat et y incarcère ***Fouquet*** que ***d'Artagnan*** vient d'arrêter. Sous la Révolution, le château devient un arsenal, puis il redevient une prison. En 1856, il est donné à l'armée. Les Beaux-Arts le récupèrent après la Seconde Guerre mondiale.

Les remparts

Les 17 formidables tours rondes de schiste sombre agrémenté de pierre blanche reposent sur des assises de grès et de granit. Elles étaient à l'origine plus hautes et couronnées de toits en poivrières. Pour obéir à Henri III, le moins possible, sans être cependant destitué, le gouverneur, Donadieu de Puycharic, se contenta d'étêter les tours dont les sommets devinrent des terrasses. Autrefois, ces remparts étaient protégés de douves larges de 30 mètres et profondes de 11 mètres.

Pages suivantes

La tenture de la Passion

Outre la très célèbre tenture de l'Apocalypse (XIVe siècle), aujourd'hui exposée dans une galerie spécialement conçue dans la forteresse pour présenter les 75 tableaux qui la composent, Angers possède également la magnifique tenture de la Passion (XVe siècle), qui s'apparente au style des mille-fleurs.

O hōme qui la pōme priz
Regarde cy le povre priz
De Judas qui par trahison
Par envie et contre raison
Judas ly fut moult diligent
Car pour trente deniez dargent
Helas il en fit grant marche
Le sauveur en fut derrache

AZAY-LE-RIDEAU

Azay est considéré comme l'un des plus purs chefs-d'œuvre de la première Renaissance. Pourtant ce "diamant taillé à facettes, serti par l'Indre, monté sur pilotis, masqué de fleurs" pour lequel ***Balzac*** chantait son admiration n'est sans doute pas terminé et il n'est pas non plus un château royal.

Azay avait au moins quinze siècles d'histoire lorsqu'il devint ce chef-d'œuvre. Les Romains avaient déjà élu domicile sur ce site ; en 1120, un dénommé ***Hugues Ridel*** ou ***Rideau d'Azay***, seigneur souvent en opposition avec ***Henri II Plantagenêt***, comte d'Anjou et roi d'Angleterre, élève une forteresse à laquelle il laisse son nom. En 1418, le château fort est occupé par les hommes du ***duc de Bourgogne***. Le timide dauphin ***Charles***, à qui ni ***Jeanne d'Arc*** ni ***Agnès Sorel*** n'ont révélé sa stature de roi de France, passe par Azay pour se rendre de Chinon à Tours. La garnison bourguignonne l'insulte : en un éclair, les hommes de ***Charles*** massacrent les Bourguignons et incendient le village, qui devient Azay-le-Brûlé pour plusieurs siècles. Mais, en 1442, ***Charles***, devenu roi de France depuis 1436, est un souverain pragmatique et il préfère l'efficacité à la rancune ; aussi autorise-t-il par lettres patentes la fortification d'Azay, car il sait l'importance stratégique du site, puisqu'il commande le passage de l'Indre sur la route de Tours à Chinon.

En 1518, la destinée d'Azay change radicalement, les forteresses n'ont plus d'utilité. ***Gilles Berthelot***, président de la Chambre des Comptes puis maire de Tours, entreprend la construction d'un château de plaisance : deux délicats corps de logis disposés en équerre, l'un vers le nord, l'autre vers l'ouest, et, sans doute, les mésaventures de ***Berthelot*** qui dut quitter la France pour ne pas connaître, comme son cousin ***Jacques de Semblançay***, autre financier proche du roi, le gibet de Montfaucon, interrompirent-elles la construction de deux autres ailes. On dit que c'est ***Louise de Savoie***, la mère de ***François Ier***, qui suggéra à son fils de faire étudier les comptes de ces financiers trop brillants.

Azay conserve quelques éléments du château défensif mais tout y est conçu pour un art certain de la vie. Les angles sont renforcés de tourelles décoratives, et non plus défensives, et les appartements reflètent ouvertement leurs fenêtres dans les eaux de l'Indre au contraire des habitations qui jusqu'à présent s'abritaient peureusement sur la cour intérieure.

Les fenêtres sont bordées de pilastres ; au dernier étage qui est, en partie, à la hauteur des combles, elles sont surmontées de frontons sculptés. Ces décorations restent marquées par le gothique flamboyant, comme les tourelles en poivrières, mais la symétrie et la finesse qui se dégagent de cette construction sont la marque de l'art renaissant, comme le magnifique escalier de pierre qui s'inscrit sur quatre étages de doubles baies sur la façade, bordées de colonnettes, pilastres, frises relevées d'arabesques. A l'intérieur, ses voûtes sont décorées de caissons enrichis de médaillons. Ce remarquable escalier présente une nouveauté : des volées droites et non plus en colimaçon.

Alors que ***Berthelot*** se réfugiait à Cambrai, alors hors du royaume, ***François Ier*** confisquait Azay qui devait connaître de nombreux propriétaires. Il y eut d'abord un diplomate, ***Saint-Gelay***. Au XVIIe siècle, il fut la propriété de ***Henri de Beringhen*** dont le père s'était fait remarquer par ***Henri IV*** en l'accueillant en Normandie. Mais ***Beringhen***, proche de ***Louis XIII***, fut disgracié par ***Richelieu*** et s'installa en Allemagne. A la mort de ***Richelieu***, il put regagner la France et son fils hérita d'Azay. ***Louis XIII*** fut l'hôte d'Azay.

A la Révolution, Azay fut vendu aux ***Biencourt***. Au XIXe siècle, les ***marquis de Biencourt*** entreprirent d'importants travaux de restauration intérieure et extérieure. Ils firent notamment remodeler le seul vestige de la première forteresse, une grosse tour médiévale, dans le style Renaissance si cher aux Romantiques. Pour que les façades ainsi harmonisées puissent apparaître dans toute leur beauté, ils aménagèrent autour un parc à l'anglaise planté de hauts arbres. Le château fut racheté par l'Etat en 1905.

La première Renaissance

Le bâtiment que nous admirons aujourd'hui fut construit pour le bon plaisir d'un financier, Gilles Berthelot, de 1518 à 1523, et l'on en ignore encore l'architecte ; on sait cependant que des artisans français y travaillèrent et que le maître-d'œuvre connaissait l'art italien et aussi que ce fut la femme de Berthelot, Philippa Lesbahi, qui lui avait apporté en dot une partie de la seigneurie d'Azay-le-Rideau, qui surveilla les travaux car les fonctions de Berthelot lui interdisaient de longs séjours à Azay. On retrouve à Chenonceau, cet autre chef-d'œuvre de la Renaissance (construit de 1513 à 1521), cette conjonction peu ordinaire d'une riche bourgeoise qui gère la construction d'un creuset de l'art français, avant la disgrâce de l'époux esthète et ambitieux, grand serviteur de l'Etat. Comme à Chenonceau encore, on constate une construction très rapide et la présence d'une rivière, là-bas le Cher, ici l'Indre et Azay repose sur une île, Chenonceau sur un pont. Les deux châteaux sont d'ailleurs qualifiés de "féminins".

BLOIS

Domaine royal depuis 1498, lorsque, à la mort de ***Charles VIII, Louis XII*** accède au trône de France, Blois est une magnifique construction et son histoire est particulièrement riche. Quatre époques architecturales y apparaissent nettement: la salle des Etats Généraux du XIIIe siècle, l'aile de ***Louis XII***, le château de ***François Ier*** et la construction interrompue de ***Gaston d'Orléans***.

Cependant, alors que certaines places stratégiques remontent à l'époque des Romains, Blois n'apparaît pour la première fois dans l'Histoire que sous la plume de ***Grégoire de Tours***, au VIe siècle. Les seigneurs de Blois constituent très tôt dans l'Histoire un "empire": ils sont à la fois comtes de Blois, de Chartres, de Tours et, même, de Champagne.

Thibaud Ier le Tricheur érigea un donjon, un peu avant l'an mille. La dynastie des ***comtes de Blois*** s'opposa vivement à celle des ***comtes d'Anjou***, et l'histoire se compliqua lorsqu'un fils d'***Etienne de Blois*** épousa une fille de ***Guillaume le Conquérant*** et devint roi d'Angleterre en 1135 ; il régna dix-neuf ans.

Au milieu du XIIe siècle, les ***comtes de Blois*** se replièrent vers la Champagne et les ***comtes d'Anjou*** affirmèrent leur puissance dans les pays de Loire. ***Louis IX*** achète les droits des ***comtes de Blois*** sur le comté de Champagne et, en 1241, les ***Châtillon*** héritèrent des ***comtes de Blois***. A cette époque, Blois est une redoutable forteresse avec une enceinte renforcée de tours qui entourent non seulement le château actuel mais aussi l'avant-cour.

En 1391, le frère de ***Charles VI***, futur ***Louis d'Orléans***, acheta le château. Sa veuve, ***Valentine de Milan***, se retira à Blois où elle pleura l'époux infidèle dans une chambre tendue de noir. ***Dunois***, le fils illégitime du duc, assura la garde du château, tandis que ***Charles d'Orléans***, le fils légitime, se consolait de ses vingt-cinq années de captivité après le désastre d'Azincourt en écrivant de très beaux poèmes. A son retour d'Angleterre, il épousait la jeune ***Marie de Clèves*** qui lui donnait un fils, le futur ***Louis XII***.

La façade des Loges

Sans toucher à l'ancien mur de façade, épais de près de deux mètres, qui abritait couloirs et escaliers secrets, les maîtres-maçons de François Ier, le Blésois Jacques Sourdeau et un Italien, probablement Dominique de Cortone, élevèrent deux étages correspondant à ceux de la façade sud qu'ils surmontèrent d'un troisième protégé par une galerie. C'est dans ces loggias voûtées soutenues par des pilastres que l'influence italienne se fait le plus sentir. Aujourd'hui, le château est intégré à la ville de Blois qu'il domine, lui rappelant à chaque instant son passé royal.

Charles entreprit la reconstruction de l'aile occidentale ; les dessins d'***Androuet du Cerceau*** laissent une image fidèle de ce bâtiment de brique et de pierre aux lucarnes terminées en marches d'escalier. Dès son avènement, ***Louis XII*** entreprit de conférer à Blois une dimension royale : outre de magnifiques jardins en terrasses qu'il fait aménager par ***Pacello da Marcoliano***, un prêtre jardinier ramené d'Italie par ***Charles VIII***, il construisit le bâtiment dit "aile Louis XII", de style gothique flamboyant. C'est dans cette construction de brique rehaussée seulement par les dentelles de pierre des fenêtres que se tint la Cour car ***Louis XII*** préférait Blois à Paris. Il y reçut, en 1501, ***Philippe d'Autriche***, père de ***Charles Quint***.

L'italianisme fait une entrée discrète dans la galerie soutenue par des arcades en anse de panier. Seul, le portail d'entrée surmonté d'une niche flamboyante à fond bleu fleurdelisé signale la majesté du lieu.

François Ier poursuit la reconstruction de Blois : ce sera un chef-d'œuvre. Le château lui doit son magnifique escalier en saillie sur la façade de la cour intérieure, dont les décorations expriment avec bonheur la Renaissance italienne. Il lui doit aussi la remarquable façade des Loges. Puis le prince de la Renaissance préféra Chambord et ses châteaux de la région parisienne. ***Henri II*** et ***Charles IX*** vinrent à Blois ; en 1576, ***Henri III*** y ouvrit les Etats Généraux. Puis, Blois fut abandonné par la Cour, ***Marie de Médicis*** y fut exilée mais s'en échappa. ***Louis XIII*** y exila aussi son frère ***Gaston*** qui entreprit de tout raser pour en faire un palais classique : de 1635 à 1638, ***Mansart*** eut les crédits nécessaires pour commencer son vaste projet qu'il entama par une façade de trois étages décorée de pilastres accouplés ; sa plus belle réussite est la grandiose coupole du grand escalier intérieur. La naissance de ***Louis XIV*** retira toute importance à ***Gaston d'Orléans*** et les crédits tombèrent, les heures glorieuses de Blois aussi.

La restauration commencée par ***Félix Duban***, en 1844, est une des premières réalisées en France. Les décors peints des intérieurs témoignent des goûts du XIXe siècle pour l'histoire retrouvée.

BRISSAC

Charles de Cossé, comte de Brissac est, à la fin du XVIe siècle, l'un des chefs de la Ligue, le parti catholique qui soutient les ***Guise***. Malgré l'assassinat du ***duc de Guise, Charles de Cossé***, gouverneur de Paris, conserve un pouvoir très fort et refuse Paris à ***Henri IV*** qui est protestant. Mais "Paris vaut bien une messe", ***Henri IV*** se convertit et les Parisiens, avides de paix, après tant d'années de guerres civiles, acclament leur roi qui remercie généreusement leur gouverneur. La fortune de ***Cossé*** est assurée, il est maréchal, duc et pair de France. Dans ses terres d'Anjou, il va concrétiser sa réussite en faisant élever le plus haut château de France, souhaitant remplacer, au fur et à mesure de ses travaux, l'ancienne forteresse.

L'histoire du site était ancienne: depuis le Xe siècle, les ***comtes d'Anjou*** y avaient élevé un château fort dans lequel s'étaient succédé de puissantes familles, les ***Rouault, Chemillé, La Haye-Passavant***... Au milieu du XVe siècle, Brissac appartient à ***Pierre de Brézé***, ministre de ***Charles VII***, puis de ***Louis XI***. Son fils épousa la fille de ***Charles VII*** et d'***Agnès Sorel***, mais il la tua en même temps que son amant. ***Louis***, le fils de ces parents malheureux, ne connut pas un mariage plus heureux: il épousa ***Diane de Poitiers***.

En 1502, ***Louis de Brézé*** vendit Brissac à ***René de Cossé*** qui devint ainsi seigneur de Brissac.

René de Cossé avait changé la destinée de sa famille, très ancienne mais sans fortune, en plaidant habilement la cause du ***duc d'Orléans*** après la bataille de Saint-Aubin-du-Cormier où, en 1488, ***Louis de La Trémoille***, à la tête des armées royales, avait vaincu les armées des grands seigneurs rebelles conduites par le ***duc de Mayenne*** et le ***duc d'Orléans***. Cette victoire mettait un terme à la Guerre folle menée contre la régence d'***Anne de Beaujeu*** pendant la minorité de ***Charles VIII***. ***René de Cossé*** obtint la libération du ***duc d'Orléans*** fait prisonnier; devenu ***Louis XII*** en 1498, ce dernier lui marqua sa reconnaissance.

Le plus haut château de France

Au milieu d'un immense parc ombragé par des cèdres et baigné par la rivière Aubance, Brissac dresse son étonnante façade. Ses 47 mètres de hauteur en firent le plus haut château de France, mais la mort de Charles II de Cossé, en 1621, interrompit cette prestigieuse entreprise. Le pavillon central présente une façade très richement ornée qui rappelle l'engouement du début du XVIIe siècle pour les profusions du baroque : pilastres, frontons, statues gracieuses tranchent avec la sobriété des deux tours du XVe siècle.

En épousant ***Charlotte de Boisy, Montmorency*** par sa mère, ***René de Cossé*** élargit l'univers familial et régional: après le désastre de Pavie, il escorta, avec sa femme, les fils de ***François Ier*** pendant leur captivité en Espagne.

En 1532, ***René de Cossé*** fit agrandir l'église paroissiale où il figure avec sa femme sur un vitrail représentant la Crucifixion.

Charlotte et ***René*** eurent deux fils très brillants, ***Charles Ier***, dit le Maréchal de France, et ***Artus***.

Charles, comte de Brissac, maréchal de France, fut gouverneur de Picardie, puis de Normandie et, en 1563, il reprit Le Havre aux Anglais. Son frère, ***Artus***, également maréchal de France, s'illustra notamment à Moncontour, aux côtés du ***duc***

d'Anjou, futur ***Henri III***, en 1569, où il réduisit l'armée protestante de ***Coligny***.

En 1601, ***Charles II de Cossé*** transforme le château acquis par son grand-père, mais il meurt en 1621 sans avoir achevé son projet. Il voulait remplacer les tours de l'ancien château par une façade monumentale, centrée par rapport à l'actuelle porte d'entrée. La seconde moitié du château, la partie droite, ne fut jamais construite par ses descendants, et seules deux tours, vestiges de la forteresse du XVe siècle, demeurent.

L'histoire de Brissac – ou des ***Brissac*** – se rapproche encore de celle de la France : c'est dans la chambre appelée maintenant "chambre du Roi Louis XIII" qu'eut lieu la réconciliation du jeune roi de dix-neuf ans et de sa mère. En présence du confesseur de la reine, l'***évêque de Luçon*** – qui n'était pas encore le ***cardinal de Richelieu*** – ***Louis XIII*** et ***Marie de Médicis*** mirent fin à la guerre civile qui opposait leurs troupes depuis quatre ans : c'était l'issue de la bataille des Ponts-de-Cé en 1620. Le quatrième ***Brissac*** maréchal de France fut le septième duc, père de ***Louis-Hercule***, dernier gouverneur de Paris. Le huitième duc, qui connut de longues années d'intimité avec la ***comtesse Du Barry*** après la mort de ***Louis XV***, fut sauvagement assassiné par la foule à Versailles en 1792.

Les nombreuses pièces magnifiquement meublées de Brissac retracent les périodes fastes de l'Ancien Régime, mais, à la Révolution, le château vécut des heures sombres. Des troupes républicaines utilisèrent les caves qui dataient de ***Henri IV*** comme cachots pour des Vendéens qui avaient été faits prisonniers.

Après la Révolution, le nouveau duc préféra abandonner le château et faire construire dans le parc un sobre logis ; dès le milieu du siècle, Brissac revivait des jours heureux et cette construction, qui semblait dès lors incongrue, fut démolie.

En 1854, la ***duchesse de Brissac*** fit l'acquisition de splendides tapisseries des Flandres datant du XVIe siècle ; elles provenaient du château de Monceau, résidence de ***Louis-Philippe*** en région parisienne. Elles décorent depuis la chambre des Chasses.

Brissac s'enorgueillit également d'une toile qui, sur une longueur de six mètres et une largeur de trois mètres cinquante, représente le domaine de Bercy : elle provient du château de Bercy dont le propriétaire, le ***marquis de Nicolaÿ***, ancêtre de l'actuelle ***duchesse de Brissac***, fut exproprié en 1860 pour construire la Halle aux Vins. Il ne subsiste aujourd'hui de cet immense domaine qu'une partie des écuries.

Le théâtre

Le château de Brissac abrite un délicieux théâtre qui date de la Belle Epoque. Jeanne Say, marquise de Brissac, puis vicomtesse de Tredern à la mort du marquis, possédait une incomparable voix de soprano. Amie de Gounod, Massenet, Saint-Saëns, Debussy... elle organisa à Brissac les fameuses "Soirées d'Automne" dans le théâtre qu'elle fit construire. Inaugurée en 1890, cette salle d'opéra privée fut abandonnée à la mort de sa fondatrice en 1916. En 1983, elle fut restaurée par des bénévoles et depuis, ce théâtre de 170 places est le cadre de nombreuses manifestations culturelles.

Pages suivantes

Le grand salon

Le mobilier de Brissac est le plus riche des châteaux du Val de Loire. A travers ses peintures, ses meubles et ses tableaux se déroulent de longues époques de l'art et de l'Histoire de France. Ici, dans le grand salon, sous le plafond à caissons, sculpté et doré à la feuille d'or au XVIIIe siècle, entre deux commodes Louis XV et deux des quatre lustres en cristal de Venise, le portrait du huitième duc de Brissac, Louis-Hercule, rappelle que, sous Louis XVI, le gouverneur de Paris était aussi colonel des Cent Suisses, la garde privée du roi.

Le onzième ***duc de Brissac*** épousa en 1894 la fille de la ***duchesse d'Uzès***, arrière-petite-fille de la célèbre ***Veuve Clicquot***, dont on disait qu'elle était de "toutes les fêtes".

Le douzième ***duc de Brissac***, polytechnicien, épousa, quant à lui, en 1924, ***Marie-Zélie Schneider***, fille d'***Eugène Schneider***, troisième et dernier maître de forges de l'empire industriel du même nom.

"Un abrégé de l'industrie humaine"

Tels sont les propos que l'on prête à Charles Quint lorsque François Ier eut l'honneur de le recevoir, en 1539, à Chambord. Commencé en 1519, malgré les difficultés politiques et financières de François Ier, Chambord était pratiquement terminé en 1537. Henri II poursuivit cependant les travaux de son père, puis Louis XIV accorda le comté de Blois – qui incluait

CHAMBORD

"On dirait que, contraint par quelque lampe merveilleuse, un Génie de l'Orient l'a enlevé pendant une des mille et une nuits et l'a dérobé au pays du soleil, pour le cacher dans ceux du brouillard avec les amours d'un beau prince. Ce palais est enfoui comme un trésor ; mais à ses dômes bleus, à ses élégants minarets, arrondis sur de larges murs élancés dans l'air, à ses longues terrasses qui dominent les bois, à ses flèches légères que le vent balance, à ses croissants entrelacés, partout sur les colonnades, on se croirait dans les royaumes de Bagdad ou de Cachemire... On conçoit à peine comment les plans furent tracés... c'est un songe réalisé..."

Les Romantiques se plurent à constater les charmes et les mystères de Chambord, mais ***Alfred de Vigny*** met ici l'accent sur trois points : le côté palais mirage qui, au XIXe siècle, s'apparente souvent à

l'Orient, les interrogations qui subsistent encore aujourd'hui quant à sa construction et le songe qui prend forme. Commençons par le songe. Ici, ni ruines romaines, ni souvenirs de combats féodaux, mais une vaste forêt giboyeuse et plate, marécageuse, souvent embrumée, au cœur de laquelle les ***comtes de Blois*** firent élever un relais de chasse ; un acte de 1183 en mentionne l'existence. En 1518 ou 1519, ***François Ier***, un peu à l'étroit entre Blois et Amboise dont il surveille la fin des travaux, après Marignan et son engouement pour l'Italie, consacre de très longues heures à la chasse.

La légende veut qu'en poussant jusqu'à la forêt de Chambord, il rencontra une belle ***comtesse de Thoury*** ; le site le séduisit instantanément. Il imagina un palais blanc et irréel, gigantesque féerie de pierre. Le 6 septembre 1519, ***François Ier*** signe les premières lettres patentes relatives à la "reconstruction" de Chambord. Jusqu'en 1524, mille huit cents ouvriers allaient travailler à l'édification du château, mais sur les plans de qui ? L'on sait que ***Dominique de Cortone***, dit ***le Boccador***, en fit une maquette de bois ; on sait aussi que ***Jacques Sourdeau, Pierre Trinqueau***,

Chambord – à son frère Gaston d'Orléans. Chambord revint à la Couronne et Louis XIV aima ce lieu prestigieux et giboyeux où il fit effectuer de nombreuses transformations. Louis XV y installa son beau-père, en exil du trône de Pologne, puis le glorieux et fantasque vainqueur de Fontenoy, le maréchal de Saxe, qui fit vivre Chambord au rythme des régiments de Tartares et des fastes des Mille et Une Nuits.

Jacques Coqueau dirigèrent le chantier. Mais qui l'avait conçu ? Il est difficile d'imaginer que ***Léonard de Vinci***, l'hôte si choyé du Clos-Lucé, n'ait pas été consulté.

La mode était à l'italianisme, Chambord est français. Son plan d'ensemble est celui d'un château fort de plaine, en usage depuis le XIIIe siècle : un donjon massif carré flanqué de quatre grosses tours rondes, entouré à l'est, au sud et à l'ouest d'une enceinte rectangulaire très basse qui délimite une belle cour intérieure. Le donjon mesure quarante-cinq mètres de côté, tours non comprises ; il est divisé en quatre appartements par quatre galeries qui se croisent. Au centre, se déroule le fameux grand escalier qui mène aux terrasses. En haut du donjon se dresse un véritable "village", splendide dédale de pierres animé par les lanternes, les lucarnes, les cheminées et les merveilleuses sculptures de la première Renaissance. Cette terrasse permettait aussi bien de suivre les chasses et les réceptions que de s'isoler en galante compagnie. Car, contrairement à d'autres châteaux royaux, Chambord ne fut habité qu'épisodiquement, pour les fêtes, les réceptions et les chasses royales. Un seul hôte devait y rester huit ans : ***Stanislas Leszczynski***.

L'histoire de Chambord est un tourbillon, la Cour ne s'y rend que pour se distraire, ou recevoir. En 1539, deux ans après l'achèvement du gros-œuvre, ***François I***[er] peut y accueillir avec faste l'empereur ***Charles Quint***, son beau-père depuis son mariage avec ***Eléonore d'Autriche***, en 1530. ***Charles Quint*** ne tint pas rigueur à ***François I***[er] du peu de cas qu'il faisait de sa sœur, qui ne lui avait pas donné d'enfant.

Dans le cortège qui escorte l'empereur d'Amboise à Chambord, il y a ***Eléonore***, mais il y a aussi la ***duchesse d'Etampes***, la maîtresse en titre de ***François I***[er], et ***Charles Quint*** s'extasie sur les jeunes femmes, peu vêtues, qui l'escortent et sur Chambord et ses "tapisseries et autres riches parements" dont ***François I***[er] fait tapisser, à la hâte, l'intérieur de Chambord. Les fêtes qui eurent lieu pour ***Charles Quint*** ne durent pas dépasser trois jours, mais les séjours de rois étaient aussi fastueux que brefs. Le prestige de Chambord servit encore la couronne de France : en 1552, ***Henri II*** concluait à Chambord le traité qui donnait à la France les évêchés de Metz, Toul et Verdun. ***François II***, puis ***Charles IX***, vinrent y chasser. ***Charles IX*** réussit à forcer un cerf seul, sans l'aide de chiens, ce qui compta dans les annales. Pour être en paix avec son frère ***Gaston, Louis XIII*** lui octroya Blois et Chambord qui appartenait au comté : c'est là que la ***Grande Mademoiselle*** déclara sa flamme à ***Lauzun***, peu enthousiaste.

Le ***Roi-Soleil*** récupéra Chambord où il fit neuf séjours ; il chargea ***Mansart*** d'effectuer certaines transformations jugées souvent peu en accord avec le site. Il fit ainsi couvrir les terrasses des écuries de combles qui écrasèrent le donjon. Le premier séjour de ***Louis XIV*** à Chambord fut une halte d'une ou deux nuits en 1660, au retour de Saint-Jean-de-Luz : le roi fut séduit par le château et il ordonna des réparations de première urgence. Il décida aussi de modifier l'ordonnance des appartements. Il revint en 1668 : les journées furent surtout consacrées à la chasse et les soirées au jeu.

L'escalier

La "merveille" de Chambord fut, dès sa construction, le grand escalier. C'est un escalier à double révolution : deux vis partent du même diamètre, se suivent et ne se rencontrent jamais. Le noyau de la spirale est ajouré d'ouvertures qui permettent à ceux qui suivent chaque hélice de s'apercevoir à chaque révolution. Les deux hélices de pierre élégamment décorées mènent à la terrasse du donjon.

Pages suivantes

La chambre du Roi

Chambord est un chef-d'œuvre de gigantisme ; à l'intérieur de ses 156 mètres sur 117 mètres, on dénombre 440 pièces, mais peu sont visitées. François Ier *s'était installé dans la tour Nord de l'enceinte, mais Louis XIV jugea plus prestigieux d'habiter le centre du donjon. Sa chambre fut aménagée en 1681, mais Louis XV la fit refaire pour le maréchal de Saxe ; il en orna les murs de boiseries Régence sculptées pour la duchesse d'Orléans à Versailles.*

C'est en 1669 que ***Louis XIV*** reste le plus longtemps : un mois, de la mi-septembre à la mi-octobre. ***Molière*** y crée *Monsieur de Pourceaugnac*. Le dernier séjour de ***Louis XIV*** eut lieu en septembre 1685, avant la révocation de l'Edit de Nantes (18 octobre 1685), ce qui s'explique peut-être par des problèmes de santé qui empêchèrent ***Louis XIV*** de chasser à partir de 1686.

Louis XV installa son beau-père chassé du trône de Pologne à Chambord et fit combler les fossés, ce que l'on considère souvent comme une lourde faute. ***Stanislas*** et sa femme y menèrent une vie sans faste et souffrirent des chaleurs de l'été. Puis Chambord connut des heures de gloire avec le ***maréchal de Saxe*** à qui il échut le 25 août 1745. Bien que protestant et fils naturel d'***Auguste de Pologne*** qui avait détrôné ***Stanislas***, le maréchal fut l'hôte choyé de ***Louis XV*** : le vainqueur de Fontenoy eut droit à d'énormes rentes, outre Chambord. Il put ainsi y mener une existence fastueuse, débridée, où les frasques des régiments de Tartares comme de Martiniquais alternaient avec les caprices du maître des lieux.

A sa mort mystérieuse, Chambord retombe dans l'oubli. En 1809, ***Napoléon*** le concède à ***Berthier*** qui ne peut l'entretenir. En 1821, Chambord est acheté par souscription publique pour le ***duc de Bordeaux***. En 1871, ***Henri V***, le dernier des ***Bourbons***, s'installe à Chambord, mais ses déclarations légitimistes ne rencontrent aucun soutien populaire. En 1932, l'Etat rachète Chambord à ses héritiers.

28
LA CHAMBRE DU ROI
Installée en 1681 pour Louis XIV
servit de chambre de parade pour le Maréchal de Saxe en 1748
à cette occasion la pièce fut lambrissée de
boiseries sculptées en 1725 pour le cabinet octogone
de la Duchesse d'Orléans à Versailles,
don du Roi Louis XV au vainqueur de Fontenoy.

CHANTELOUP

Versailles, le 24 décembre 1770 : les courtisans commentent l'incroyable nouvelle, le ***duc de Choiseul*** a vingt-quatre heures pour quitter Versailles. Cette disgrâce brutale aura une conséquence inattendue : une pagode chinoise sur les bords de la Loire. Depuis douze ans, le ***duc de Choiseul*** exerçait les fonctions de Premier ministre, de fait, sinon de droit. Très jeune, il s'était illustré à la guerre, puis s'était orienté vers la carrière diplomatique, se rapprochant de ***Louis XV*** et du pouvoir. Il avait su se concilier la ***Pompadour***, mais son opposition à la nouvelle maîtresse du roi (60 ans), la ***Du Barry*** (27 ans), lui fut fatale. Le clan du chancelier ***Maupeou*** pouvait fêter sa victoire : le renvoi de ***Choiseul*** allait permettre à son vieux rival de prendre la tête d'un triumvirat (avec le ***duc d'Aiguillon*** et l'***abbé Terray***) très antiparlementaire, qui conduirait le roi vieillissant à exercer une espèce de despotisme éclairé. Mais celui qui avait été successivement chargé des Affaires étrangères, des Postes, de la Guerre, de la Marine, ne partait pas comme un humble proscrit. Pour la première fois, aucune mesure d'isolement n'accompagnait le renvoi. ***Choiseul*** put ainsi regagner tranquillement son château de Chanteloup, à quelques kilomètres du château d'Amboise, en lisière de la forêt royale.

Nommé Gouverneur de la Touraine, ***Choiseul*** avait acheté en 1761 le domaine de Chanteloup à la famille ***d'Armentières***, héritière de ***Jean Bouteroue d'Aubigny*** qui avait fait bâtir le château en 1711 sur les plans de ***Robert de Cotte***, le beau-frère et élève de ***Jules Hardouin-Mansart***, pour le compte de la ***princesse des Ursins***. Cet intrigant personnage coulait à Chanteloup des jours paisibles, dans un luxe inouï. Grand maître des Eaux et Forêts de France, ***d'Aubigny*** vivait dans l'ombre – ***Saint-Simon*** dont le fiel acérait la plume disait même bien plus – de ***Marie-Anne de La Trémoille***, mariée en première noces au ***prince de Chalais***, aïeul de ***Talleyrand*** et en secondes noces au ***prince Orsini*** dont, devenue veuve, elle avait francisé le nom.

Dès son acquisition en 1761, ***Choiseul*** y entreprend avec son architecte des embellissements somptueux. Par une habile transaction avec la Couronne, il échangea les terres de la baronnie d'Amboise et de la forêt avoisinante avec le domaine de Pompadour qu'il acquit la même année de ***Jeanne Poisson***, épouse séparée du sous-fermier ***d'Etioles***. La transaction conclue, le roi donna en toute propriété à ***Madame d'Etioles*** le marquisat qu'elle avait elle-même vendu à ***Choiseul*** et dont elle portait le titre depuis 1745 !

Il faut aujourd'hui faire appel aux récits de l'époque et à toute son imagination pour évoquer la vie fastueuse menée par ***Choiseul*** durant son exil doré à Chanteloup, les fêtes somptueuses, les visites des princes comme des Encyclopédistes, car il ne reste pas une pierre du château. Il avait échappé au vandalisme des Révolutionnaires, ayant été acheté aux enchères (mais jamais payé) par le chef d'escadron ***Dufay*** qui le dépeça de tous ses ornements, jusqu'aux balcons et grilles. En 1802, ***Chaptal***, le célèbre chimiste alors ministre de l'Intérieur, racheta Chanteloup et lui redonna un certain lustre ; entre les allées de tilleuls, sur les terres qui n'étaient pas encore boisées, il développa la culture de la betterave à sucre qui aida ***Napoléon*** à briser le blocus anglais. Mais, en 1823, les mauvaises affaires du fils entraînèrent la vente de Chanteloup et sa perte. Acquis par des démolisseurs surnommés la Bande Noire, le château fut démoli pierre à pierre en moins de cent jours : "Même les ruines périrent..."

La pagode connut un sort plus heureux. Commandée en 1775 à son architecte ***Le Camus***, alors que l'avènement de ***Louis XVI*** mettait fin à son exil, ***Choiseul*** voulut marquer d'un signe exemplaire sa reconnaissance envers ses nombreux amis venus l'honorer durant son exil à Chanteloup. ***Le Camus*** s'inspira des idées à la mode ramenées de Chine par l'architecte anglais ***Chambers*** qui avait construit quelques années auparavant une pagode chinoise dans les jardins royaux de Kew, pour la ***princesse de Galles***. Il érigea, dans le plus pur style Louis XVI, un très élégant monument, haut de quarante-quatre mètres, d'une rare finesse. Alors que la pioche des démolisseurs s'acharnait sur le château,

La pagode

Edifiée en 1775 par le duc de Choiseul, la pagode rappelle ce goût fort à la mode à la fin du XVIIIe siècle pour les "chinoiseries". Si l'inspiration de cette "folie" est chinoise, le style est du pur Louis XVI, comme le montre la décoration de l'édifice : frises, feuilles d'acanthe, entrelacs de lauriers, tous ces motifs dénotent le style à la mode à l'avènement de Louis XVI, que l'on retrouve sur le mobilier et les constructions de l'époque. Cet édifice, étonnant sur les bords de la Loire, d'une rare élégance, fut édifié au centre des somptueux jardins du château de Chanteloup. Une pièce d'eau en demi-lune, prolongée d'un Grand Canal, à la manière des bassins de Versailles, achève de donner toute sa splendeur à cet étrange monument. La pagode est située sur un plateau fermé de deux belles grilles en fer forgé et qui est le point culminant du parc de Chanteloup. A l'entrée de ce plateau se trouve encore le "pavillon du Concierge", ravissant petit édifice construit en 1770 par l'architecte de Choiseul, Denis Le Camus.

L'intérieur de la pagode

Le salon du premier étage de la pagode, le plus vaste des six étages en retrait les uns des autres, était meublé de sièges et mobilier chinois. Le sol est pavé de dallages blancs avec des cabochons d'ardoises noires.

Page en regard

Une architecture audacieuse

La pagode est supportée par un péristyle de seize colonnes et de seize piliers ; chacun des six étages est construit en coupole. Cette forme architecturale est le triomphe de l'art de Le Camus. A Chanteloup, il eut une grande audace : chacune des six coupoles qui supportent les six étages a été coupée par l'escalier en bois qui monte jusqu'au sommet, et en pierre jusqu'au premier étage, difficulté extrême, vaincue par le talent de l'artiste et par sa connaissance parfaite de la stéréotomie et de la résistance des matériaux.

la pagode fut achetée par le futur ***Louis-Philippe*** avec les terres environnantes qu'il fit boiser. Sa fille, la ***princesse Clémentine de Saxe-Cobourg-Gotha*** en hérita en 1850. Bâtie sur un pilotis de chêne, la pagode était promise à une ruine certaine depuis que ***Dufay*** avait détruit l'alimentation de la Pièce d'eau. Soumise au rythme des saisons, les pieds dans l'eau l'hiver, à sec l'été, la pagode voyait ses fondations gagnées par la pourriture. En 1880, la ***princesse Clémentine*** tenta d'arrêter cette fatale évolution mais une injuste loi d'expulsion, frappant les descendants des ***Bourbons***, l'en découragea. En 1910, l'architecte ***René Edouard André*** entreprit d'audacieux travaux de reprise en sous-œuvre qui sauvèrent le monument dont il restaura par ailleurs les ornements, remonta l'escalier de pierre et rétablit les pelouses.

Les murs du salon du premier étage sont parés de plaques de marbre blanc sur lesquels la tradition rapporte que ***Choiseul*** avait fait graver en lettres d'or le nom des ses illustres amis venus le visiter dans son exil, en tête desquels auraient figuré le ***duc de Chartres*** et le ***comte de Provence. Madame du Deffand***, amie de ***Voltaire*** et confidente des ***Choiseul***, raconte dans ses lettres célèbres avoir vu les graveurs à l'œuvre et ***Arthur Young*** confirme le fait dans son ouvrage *Voyage en France pendant les années 1787, 1788 et 1789*. Toutefois, un voyageur anglais, le ***colonel Thorton***, observe en 1802 que ces plaques sont nues mais rapporte qu'elles auraient été retournées pendant la Révolution pour éviter de provoquer le vandalisme révolutionnaire. En 1859, ***Lambert***, architecte du Gouvernement et des Monuments historiques, donna l'ordre de desceller deux des huit tables de marbre. Il put, écrit-il, “se convaincre de *visu* que, du moins sur ces deux tables, aucune inscription n'a jamais été gravée, la face est à peine dégrossie”. Le mystère demeure… En revanche, sur la table centrale, on peut admirer la très belle dédicace, écrite en lettres dorées par l'ami des ***Choiseul***, l'***abbé Barthélemy*** :

Etienne François
Duc de Choiseul
pénétré des témoignages
d'amitié, de bonté, d'attention
dont il fut honoré
pendant son exil
par un grand nombre
de personnes empressées
à se rendre en ces lieux
a fait élever ce monument
pour éterniser
sa reconnaissance

CHAUMONT

Certains châteaux de la Loire, royaux ou non, laissent apparaître dans leur architecture extérieure les traces d'une histoire mouvementée. Chaumont, à leur opposé, présente l'apparence homogène d'une forteresse... qu'il ne fut jamais, mais ne laisse pas deviner l'étonnante succession de ses propriétaires et leurs hôtes célèbres, étrangers ou exilés.

A l'origine, il y a un chevalier danois, le redoutable ***Gueldin***, qui choisit ce site car il le juge remarquable comme poste d'observation. Au Xe siècle, le ***comte de Blois, Eudes***, y installe une forteresse qui sera rasée en 1154. Le château est alors, au XIIe siècle, la propriété de la famille ***d'Amboise*** qui le conservera cinq siècles, ce qui ne l'empêchera pas de le voir détruire par ***Louis XI***, en 1465, pour punir ***Pierre d'Amboise*** de son engagement dans la Ligue du Bien public.

Mais le souverain rend cependant la terre qu'il avait confisquée à son vassal rebelle et ***Pierre d'Amboise*** entreprend sa reconstruction. Il commence par les ailes nord et ouest. Son fils, ***Charles Ier***, continue les travaux, mais c'est son petit-fils, ***Charles II***, amiral et maréchal de France et neveu du tout-puissant ***cardinal d'Amboise*** qui les achève, faisant élever les ailes sud et est. Lorsqu'il guerroie en Italie avec ***Louis XII***, c'est son oncle qui surveille les travaux. Le cardinal et le souverain seront d'ailleurs les hôtes de Chaumont.

Dès 1560 – ***Henri II*** est mort l'année précédente –, ***Catherine de Médicis*** achète Chaumont. Ses séjours à Chaumont appartiennent un peu à la légende, car on a beaucoup épilogué sur les séances d'astrologie qu'elle aurait suivies avec ***Ruggieri***, au sommet d'une tour, mais elle y resta très peu. Elle n'avait acheté Chaumont que pour se venger de ***Diane de Poitiers*** qu'elle força à lui échanger contre Chenonceau. ***Diane*** détesta Chaumont et préféra Anet, l'autre cadeau de son royal amant; elle fit cependant reconstruire le chemin de ronde qu'elle orna de ses fameux emblèmes abhorrés de ***Catherine*** : un H et un D entrelacés.

Un château de transition

Chauds... monts, telle est l'étymologie de Chaumont, mais l'on ignore si ce surnom évoque un incendie volontaire, celui d'Eudes de Blois pour défricher ce site stratégique ou le feu mis à ce mont qui domine la rive gauche de la Loire par un seigneur belliqueux. Les deux grosses tours rondes de l'entrée rappellent que, sous Louis XI, les châteaux de plaisance conservent une allure défensive car l'époque des querelles féodales est à peine révolue.

Puis Chaumont connut une succession de propriétaires, nobles ou bourgeois enrichis: il appartint à ***Henri de la Tour d'Auvergne***, père du célèbre ***Turenne***, à un banquier italien surnommé "Largentier" vite déchu par ***Sully***, puis à un autre banquier italien, ***Scipion Sardini***. Puis il revint à des Français.

En 1739, il appartenait à un parlementaire, ***Nicolas Bertin de Vaugien***, qui, pour jouir de la vue sur la vallée, fit abattre l'aile nord pour installer une magnifique terrasse et remodeler l'aile sud à la mode de ***Louis XV***. En 1758, son nouveau propriétaire, ***Le Ray***, intendant des Invalides, y installe ***Nini***, un Italien spécialiste des médaillons en terre représentant des

profils. ***Benjamin Franklin***, hôte de Chaumont, y fera faire son profil. Car les ***Le Ray*** s'intéressent à l'Amérique ; le fils ***Le Ray*** fera fortune en Amérique et il créera même deux villes : Chaumont et Leraysville. Curieux personnage, il accueillera ***Madame de Staël*** disgraciée par ***Napoléon.*** Il y eut aussi ***Benjamin Constant, Madame Récamier, Chamisso…*** Sous ***Charles X***, Chaumont appartint au ***comte d'Aramon*** qui commença sa restauration.

Puis, en 1875, la fille du roi du sucre, âgée de seize ans, fut prise d'un coup de foudre pour Chaumont et demanda à son père de le lui acheter. Ce qu'il fit aussi vite. Bientôt, ***Marie Say*** épousait le prince ***Amédée de Broglie*** et le prince restaura remarquablement le château, agrandit le parc en n'hésitant pas à raser deux hameaux, installa l'électricité, de merveilleuses écuries qui comptaient quinze équipages. Les chevaux bénéficiaient de stalles très confortables et leur nourriture était préparée dans un bâtiment spécial.

Les fêtes somptueuses données à Chaumont réunissaient toutes les célébrités de la IIIe République ; l'Opéra de Paris et la Comédie Française se produisirent à Chaumont.

Mais le ***prince de Broglie*** mourut en 1917 et le second mariage de sa femme s'avéra désastreux. L'Etat racheta le château en 1938.

Pages suivantes

Au temps des équipages

En épousant l'héritière des sucres Say, le prince Amédée de Broglie devint l'éblouissant maître de Chaumont. Le village bénéficia également des largesses du couple. Le château fut remarquablement restauré et le prince fit aménager de somptueuses écuries. On retrouve dans ces odeurs de selles et de harnais merveilleusement cirés une atmosphère chère à Proust.

CHENONCEAU

Ces rives du Cher semblent avoir été habitées dès la Préhistoire, comme l'atteste la découverte de silex taillés. Ici, la famille ***Marques*** possédait un manoir dès le XIIIe siècle, ***Charles VI*** le fit raser en 1411 par le ***maréchal de Boucicaut*** pour punir ***Jean Ier de Marques*** de sa rébellion contre son souverain. ***Jean II*** le fit reconstruire et il lui adjoignit un moulin. De ce manoir subsiste le donjon. Mais son fils ***Pierre*** connut de tels déboires qu'il dut céder petit à petit ses terres à son redoutable voisin, ***Thomas Bohier***, receveur des Finances, et lorsqu'il dut mettre son château aux enchères, ce fut encore ***Bohier*** qui le racheta en 1512. Dès 1513, après avoir rasé le bâtiment, à l'exception du donjon de ***Jean II*** qu'il restaura, il entreprit la construction de son château ; en 1521, elle était terminée. Ce fut surtout sa femme, ***Catherine Briçonnet***, qui surveilla les travaux, car ses fonctions l'appelaient à Paris et en Italie.

Son château, c'est le bâtiment carré agrémenté de tourelles et d'une délicate façade. On attribue à sa femme deux innovations architecturales : un escalier à rampe droite et des appartements astucieusement répartis autour d'un vestibule. Mais ce grand bourgeois qui avait fait ériger Chenonceau en châtellenie laissa de telles dettes vis-à-vis du Trésor qu'en 1527, son fils ***Antoine*** dut céder le domaine à ***François Ier***. Il l'utilisa peu, comme rendez-vous de chasse, mais il fit un séjour qui fut décisif pour l'avenir de Chenonceau : il y amena son fils, le dauphin, la femme et la maîtresse de celui-ci, qui toutes deux éprouvèrent un coup de foudre pour le site. En 1547, le dauphin devenait ***Henri II*** et ***Diane de Poitiers*** obtenait aussitôt Chenonceau qui devint un lieu de fêtes. ***Diane*** fit tracer des jardins d'après les plans du jardinier italien d'Amboise et de Blois, ***Pacello da Mercoliano***, et, surtout, fit relier par ***Philibert Delorme***, en 1556, le château à la rive méridionale du Cher par un pont de soixante mètres. Femme pratique, ***Diane*** exploita fructueusement les terres de Chenonceau malgré l'installation coûteuse des vignes d'Arbois.

Le pont sur le Cher et la chapelle

C'est à Catherine de Médicis et à Philibert Delorme que l'on doit cette étonnante construction qui enjambe le Cher sur soixante mètres de longueur. Le château d'origine, qui excita tant la jalousie de la reine, n'était, en fait, que le donjon carré de Thomas Bohier que Henri II avait offert à Diane de Poitiers. La reine, si longtemps humiliée, en fit un joyau.

Pages précédentes
La chambre de Catherine de Médicis
Des œuvres de Mignard, Nattier, Rigaud, Van Loo, du Primatice... des tapisseries flamandes, d'Audenarde ou des Gobelins, des marbres de Carrare, un magnifique meuble italien incrusté de nacre et d'ivoire évoquent les fastes de Chenonceau.

La chambre de Louise de Lorraine
Louise de Lorraine eut un point commun avec sa belle-mère : un amour sincère pour son mari. Elle dut, pour sa part, partager Henri III avec ses mignons qui l'entouraient jalousement. Lorsque le roi tomba sous le couteau de Jacques Clément, Louise de Lorraine à qui Catherine de Médicis, morte la même année 1589, avait légué Chenonceau, s'enferma dans un deuil austère. Elle s'habilla de blanc, la couleur du deuil des reines de France, et se consacra à la prière et au recueillement. Les murs de Chenonceau furent tapissés également de noir et de blanc.

Mais ***Henri II*** meurt dans un tournoi en 1559 et ***Catherine de Médicis*** prend sa revanche : elle force la favorite à échanger Chenonceau contre Chaumont. La très belle ***Diane***, malgré son âge avancé (elle avait vingt ans de plus que ***Henri II***), refuse de s'installer dans le sombre Chaumont. Elle se retire au château d'Anet, autre cadeau de son royal amant, comme Livours et la part de l'impôt de vingt livres par cloche, ce qui avait fait écrire à ***Rabelais*** que "le roi avait pendu toutes les cloches du royaume au col de sa jument".

Avec la reine-mère, Chenonceau connaîtra des fêtes encore plus brillantes, peut-être plus perverses aussi, avec ses fameuses "escadres volantes" de jeunes filles peu farouches. ***Catherine de Médicis*** inaugure sa régence par la somptueuse fête qu'elle donne en l'honneur de ***François II*** et de ***Marie Stuart***, en 1560. Elle en donnera une autre pour ***Charles IX***. La plus brillante fut celle donnée pour célébrer la victoire du ***duc d'Anjou*** en mai 1577 : il venait de reprendre La Charité aux huguenots. ***Henri III*** présidait ce festin aux côtés de sa mère. ***Clément Marot*** immortalisa les merveilleux jardins de ***Diane*** et de ***Catherine*** qui furent le théâtre de ces fêtes somptueuses.

Le pont de ***Diane*** devient une galerie à deux étages destinée à abriter des chefs-d'œuvre venus d'Italie. ***Catherine*** fait aussi établir les communs et ***Bernard Palissy*** imagine pour elle un projet de "jardin délectable" repris par ***Le Nôtre***. A sa mort, en 1589, elle lègue Chenonceau à sa bru mais ***Henri III*** meurt la même année et ***Louise de Lorraine*** pleure un mari volage en s'enfermant, vêtue de deuil blanc, dans un Chenonceau tendu de noir. La fête est finie.

Henri IV vint peu à Chenonceau qu'il légua à son bâtard, ***César de Vendôme***. Il faut attendre 1730 pour voir revivre Chenonceau, lorsque le fermier général ***Dupin*** l'achète. Sa femme y reçoit ***Fontenelle, Buffon, Voltaire, Bernis, Marivaux***, l'***abbé de Saint-Pierre, Madame du Deffand*** et ***Madame de Tencin, Rousseau***... C'est à Chenonceau que celui-ci fait représenter pour la première fois le *Devin de village* dont il partage la paternité avec ***Philidor*** (alors en Angleterre) et qu'il y rédige l'*Emile ou De l'éducation*, à l'intention des fils ***Dupin***. Le plus jeune, ***Dupin de Francueil***, eut une petite-fille célèbre : ***George Sand***. Les Révolutionnaires épargneront le château de la bonne ***Madame Dupin*** qui y mourut en 1799.

En 1864, ***Madame Pelouze*** rachète Chenonceau et y entreprend de très nombreuses restaurations dans le goût du XIXe qui regarde le XVIe. Elle remanie

les ajouts de ***Catherine de Médicis*** pour restituer le château de ***Thomas Bohier*** et supprime ainsi les cariatides placées entre les fenêtres de la façade nord.

Mais ***Madame Pelouze*** ne put faire face à ses dépenses et le Crédit Foncier saisit le château qui fut acheté par un Américain.

En 1913, ***Henri Menier*** faisait l'acquisition de Chenonceau qu'il restaurera admirablement et attacha une grande importance aux jardins.

Depuis, la famille ***Menier*** a poursuivi avec soin l'entretien de ce chef-d'œuvre de la Renaissance franco-italienne.

CHEVERNY

Cheverny ou Moulinsart

Depuis 1510, date de l'édification de la forteresse primitive par Raoul Hurault, et le début du XVIIe siècle où le château actuel acquit le profil de son élégante architecture, Cheverny brille de l'éclat de ses pierres blanches et des fastes de ses intérieurs. Mais, depuis la seconde moitié du XXe siècle, le père de Tintin a rendu célèbre dans le monde entier la silhouette de Moulinsart, qui n'est autre que celle de Cheverny. Lorsque, au hasard d'une promenade dans les bois de Cheverny, Hergé aperçut la façade du château dont les arbres masquaient les deux ailes, il "vit" Moulinsart.

Pages suivantes

Le grand salon

La profusion des peintures et des meubles et les merveilleux plafonds peints de Cheverny contrastent étonnamment avec la blancheur épurée de son extérieur. Le grand salon est la pièce principale. Son plafond fut restauré au XIXe siècle ; ses murs sont intégralement rehaussés de lambris dont certains datent de Louis XIII. Au-dessus de la cheminée, on admire Marie Johanne de la Carre Saumery, comtesse de Cheverny, peinte par Mignard. A gauche, un guéridon anglais fin XVIIIe et, à droite, une table à écrire Louis XVI, faite par Stockel, supportent chacun un Canton chinois du XVIIe siècle.

Cheverny constitue l'un des plus beaux exemples de l'architecture classique sous *Louis XIII*. Ce château géométrique d'une étonnante blancheur, éblouissant sous le soleil, domine en douceur un parc remarquablement entretenu et s'impose au premier regard par une majesté un peu froide, mais la richesse de sa décoration intérieure et la profusion des peintures (d'époque), une fois le seuil franchi, invitent le visiteur à un voyage dans le temps qui devient beaucoup plus chaleureux. Cheverny est une propriété habitée depuis près de sept siècles par les descendants du premier propriétaire et, ainsi, ce château n'a pas connu les aléas des ventes et de la dispersion des meubles et tableaux.

C'est aussi l'un des plus tardifs du Val de Loire : il fut terminé en 1634, deux ans avant le triomphe du *Cid* et des classiques et plus d'un siècle après Chambord et Chenonceau. A l'origine, ***Raoul Hurault***, secrétaire de ***Louis XII***, fait construire un manoir. Son fils, ***Philippe***, est chancelier de ***Henri III*** puis de ***Henri IV***. En 1577, la terre de Cheverny est érigée en comté par lettres patentes. Le fils de ***Philippe, Henri***, fait reconstruire son château, les communs englobant la forteresse primitive. Il fait appel à des artistes français, ceux de Blois et de Chambord. L'architecte est un Blésois, ***Boyer***, qui utilise une pierre de la région, la pierre de Bourré (sur le Cher), dont la particularité est de blanchir et de durcir au cours des âges. Pour la décoration, il s'adresse au célèbre peintre ***Jean Mosnier***.

L'unité artistique de Cheverny s'explique par sa construction ininterrompue (de 1604 à 1634), le chatoiement de son intérieur par la qualité des peintures, des tapisseries et des meubles qui racontent la vie d'une famille aristocratique aisée qui côtoya régulièrement les princes de son temps. Sous ***Henri III***, Cheverny appartenait aux ***Hurault de Cheverny***, branche cadette; sous ***Charles IX***, il fut racheté par la branche aînée, les ***Hurault de Vibraye***. Les peintures les plus spectaculaires sont celles de ***Jean Mosnier***. Dans la salle à manger, trente-quatre panneaux racontent l'histoire de ***Don Quichotte*** ; dans la

chambre du Roi, sur le plafond à compartiments à l'italienne, l'artiste a illustré l'histoire de ***Persée*** et ***Andromède***. Tout autour, une collection unique de tapisseries tissées d'après des cartons de ***Simon Vouet*** illustre les aventures d'*Ulysse* : elles proviennent des Ateliers de Paris, qui précédèrent la Manufacture des Gobelins.

Auparavant, ***François Clouet*** avait portraituré les ***Hurault: Anne de Thou, comtesse de Cheverny, Philippe Hurault*** et son frère ***Jacques***. Cheverny s'enorgueillit aussi de quatre ***Rigaud***, dont un *Autoportrait* et un étonnant *Abbé de Rancé*, d'un *Cosme de Médicis* par ***Le Titien*** et de *Jeanne d'Aragon* par les ateliers de ***Raphaël***, d'une *Marquise de Vibraye* attribuée à ***Quentin La Tour***, de deux paysages d'***Hubert Robert***... Dans toutes les pièces, les meubles signés (***Boulard, Stockel***, ébéniste de ***Marie-Antoinette, Schlichtig, Gaudron, Jacob***...) redisent la qualité du lieu.

CHINON

C'est à l'infatigable Inspecteur des Monuments historiques, ***Prosper Mérimée***, que l'on doit l'arrêt de la longue dégradation d'un des lieux les plus chargés de souvenirs de l'Histoire de France. Le rapport de ***Mérimée*** date de 1855 : cela faisait plus de deux cents ans que Chinon était laissé à l'abandon. Cette situation était d'autant plus injuste qu'il n'y avait pas un, mais trois châteaux construits sur cet éperon – promontoire qui dominait la Vienne. Les Celtes, puis les Romains, s'y étaient installés. Au Ve siècle, il y eut, à Chinon, une église, un monastère, puis une autre église. ***Clovis*** fit édifier à Chinon l'une des plus importantes forteresses de son royaume. Au Xe siècle, Chinon réapparaît dans l'Histoire avec ***Thibaud le Tricheur***, comte de Blois. En 1044, ***Thibaud III*** le cède à ***Geoffroy Martel***, comte d'Anjou. ***Henri II Plantagenêt*** y réside souvent. Il fait bâtir le fort Saint-Georges, construction rectangulaire terminée par une tour à l'éperon, les murailles de la grande enceinte, les tours du fort du Coudray dont la tour du Moulin, longtemps utilisée comme donjon. Son fils, ***Richard Cœur de Lion***, poursuivit son œuvre de bâtisseur, y ajoutant des techniques nouvelles acquises au cours des croisades et déjà appliquées à Château-Gaillard, en Normandie. Tous deux sont enterrés dans l'abbaye voisine de Fontevrault, ***Henri II*** est mort au château de Chinon, alors que la légende dit que ***Richard*** mourut dans une maison du village où il avait été transporté après avoir été blessé au siège de Châlus.

En 1205, ***Philippe Auguste*** assiège Chinon un an avant de s'en rendre maître, alors que la Touraine avait été réunie à son royaume l'année précédente. Il termine la construction de la redoutable citadelle : il reconstruit les courtines au nord, élève la tour des Chiens, à trois étages, la tour de l'Echauguette à l'extrémité nord-est du château du Milieu, creuse les fossés ouest du château du Milieu et dresse les fondations du donjon du Coudray. En 1308, le donjon qui a été aménagé sur trois étages, sert de lieu de détention aux Templiers avant qu'ils ne soient jugés à Paris. On leur attribue les mystérieuses inscriptions des murs de l'étage du milieu. C'est aussi au cours de ce siècle que furent installés les Logis Royaux et la tour de l'Horloge qui commande l'entrée du château du Milieu.

Au XVe siècle, ***Charles VII*** agrandit les Logis Royaux et fait construire la Grande Salle qui devait lier pour toujours Chinon à l'Histoire de France : c'est là que vint ***Jeanne d'Arc***.

La guerre, appelée depuis guerre de Cent Ans, ravage le pays depuis de longues années ; les populations sont épuisées, affamées aussi car les récoltes sont faciles à brûler, les seigneurs ne peuvent pas protéger les paysans et ***Charles VII***, “roi de Bourges” est incapable de bouter l'Anglais hors de France. Il n'a d'ailleurs pas confiance en lui et il doute de sa légitimité de roi car l'inconduite de sa mère, ***Isabeau de Bavière***, a suscité beaucoup d'interrogations et son père, ***Charles VI***, est devenu fou en 1392.

A Domrémy, dans l'est de la France, une bergère a entendu des voix assez convaincantes pour qu'elle abandonne ses moutons pour aller voir le roi et le persuader de chasser l'Anglais. La méfiance est grande dans l'entourage du roi à l'annonce de son arrivée. Pourtant, le 9 mars 1429, après avoir traversé la France à cheval, en costume d'homme et après avoir attendu deux jours que le roi daigne la recevoir, dans la Grande Salle du château, parmi trois cents chevaliers et un courtisan déguisé présenté faussement comme le souverain, ***Jeanne*** se dirige immédiatement vers ***Charles VII***. Elle lui embrasse les genoux : “Gentil Dauphin, j'ai nom Jehanne la Pucelle, le Roi des Cieux vous mande par moi que vous serez sacré et couronné en la ville de Reims”. Elle eut alors un long aparté avec le roi et certains propos sont restés secrets, mais il est sûr qu'elle le rassura sur la légitimité de sa naissance.

Charles VII décida alors de secourir Orléans. Les Anglais furent chassés, ***Charles VII*** sacré à Reims, mais ***Jeanne d'Arc*** brûlée à Rouen, à l'instigation de l'***évêque Cauchon*** et sans que ***Charles VII*** ne fît quoi que ce soit pour la sauver. La vie devait s'arrêter relativement vite à Chinon. C'est à ***Philippe de Commynes***, à qui ***Louis XI*** avait accordé Chinon, que l'on doit la deuxième construction du château : la tour Argenton, faite pour résister au canon. En 1634, Chinon passa aux mains du ***cardinal de Richelieu***, mais ses héritiers se désintéressèrent du site.

La tour de l'Horloge

Le château de Chinon s'étend sur une longueur de 400 mètres et une largeur de 70 mètres. Il se compose de trois forteresses : le fort Saint-Georges, le château du Milieu et le fort du Coudray. Des Celtes au XVIIe siècle, nombreux furent les rois qui foulèrent le sol de ce long éperon rocheux qui porte aujourd'hui les ruines de ces trois châteaux. La particularité de Chinon réside dans le fait que son histoire, si riche, s'est arrêtée dans des constructions médiévales qui n'ont jamais été transformées en demeure de plaisance. Ici, nous admirons l'étonnante tour de l'Horloge qui abrite une vieille cloche datant de 1399 et baptisée Marie Javelle, qui sonne encore les heures.

LE CLOS-LUCÉ

A quelques kilomètres du château royal d'Amboise, le Clos-Lucé évoque avec brio celui que l'on considère souvent comme le plus grand génie de tous les temps: ***Léonard de Vinci***. Pourtant, à l'origine, rien ne prédisposait cette construction typiquement française à rester pour la postérité l'unique demeure de ***Léonard de Vinci***.

Le Cloux fut bâti par ***Hugues d'Amboise*** sur des fondations gallo-romaines sous le règne de ***Louis XI***. Le souverain l'offrit à son favori, ***Etienne le Loup***, un ancien marmiton qu'il anoblit. Le domaine, alors entouré de fortifications, s'appelait le manoir de Cloux, et ce nom lui resta jusqu'en 1660. Au fond du parc, ***Etienne le Loup*** possédait un colombier qui pouvait accueillir cinq cents pigeons; il est resté intact.

Le 2 juillet 1490, ***Charles VIII*** acheta le château qui devint domaine royal pendant deux siècles et servit de résidence secondaire à la Cour lorsqu'elle s'installait à Amboise. Il entreprit, dès 1491, la construction à Amboise de la chapelle Saint-Hubert, chef-d'œuvre de l'architecture gothique flamboyant. Souhaitant que le Cloux possède également un bel oratoire, il fit édifier la charmante chapelle en pierre de tuffeau blanc que l'on admire encore aujourd'hui au Clos-Lucé. ***Anne de Bretagne*** venait souvent s'y recueillir. ***Charles VIII*** fit également de nombreux aménagements dans ce manoir raffiné où il se reposait des obligations de la Cour à Amboise. A sa mort, le Cloux revint à son cousin, ***le capitaine Louis de Luxembourg***, à qui ***Louis XII*** confia la charge de ramener ***Ludovic le More*** pour l'emprisonner à Loches. Puis le Cloux échut au ***duc d'Alençon***, époux de ***Marguerite de Navarre***, sœur de ***François Ier***.

En 1515, ***Charles d'Alençon*** le vendit à ***Louise de Savoie***. Et le manoir du Cloux se mua en un lieu de divertissement: avant de devenir ***François Ier***, le jeune ***duc d'Angoulême*** transforma ses jardins en champ de jeux guerriers tandis que ***Marguerite de Navarre*** y rédigeait les premiers contes érotiques de l'*Heptaméron*. Lorsque son frère fut roi, elle lui conseilla

Un manoir Renaissance entièrement meublé

Le Clos-Lucé est l'une des demeures les plus meublées du Val de Loire. Comme le château de Plessis-les-Tours, ce manoir Renaissance fut construit en brique et en pierre tendre de tuffeau blanc, qui provenait des carrières de la région. A l'entrée du Clos-Lucé, la galerie accueille les visiteurs, là où François Ier venait assister aux grandes fêtes données à la Cour par Léonard de Vinci. Au pied de cette galerie, la tour de Guêt est le dernier élément d'architecture médiévale conservée.

d'accueillir généreusement au Cloux les peintres, architectes ou poètes qui cherchaient le confort d'une protection royale pour donner libre cours à leur talent; ***Clément Marot*** fut de ceux-là. Mais c'est avec ***Léonard de Vinci*** que ***François Ier*** bâtit sa réputation de prince de la Renaissance. Il avait vingt ans, il venait de remporter la victoire de Marignan et il osa inviter ***Léonard***. L'artiste, âgé de soixante-quatre ans, avait passé sa vie entre Rome, Florence et Milan à la cour des souverains qui lui avaient été des protecteurs puissants. ***Louis XII*** avait déjà réussi à faire venir ***Léonard*** à Fontainebleau, en 1509, et peut-être en Touraine, mais le Maître avait préféré regagner l'Italie. Il accepta l'invitation du jeune ***François Ier***, passant les Alpes en transportant avec lui à dos de mulet trois de ses plus remarquables toiles: la *Joconde, Sainte-Anne* et *Saint-Jean-Baptiste* qu'il termina à son arrivée.

Léonard vécut ainsi les trois dernières années de sa vie (1516-1519) comme une période aussi faste que créative. Sécurisé par les sept cents écus d'or que lui allouait ***François Ier***, tout en étant "libre de penser, de rêver et de travailler", il fut choyé par la Cour et nombreux furent les visiteurs de marque qui vinrent l'admirer. Il fut aussi bien le grand organisateur des fêtes de la Cour, qu'architecte, ingénieur civil (canal de Romorantin, écluses de la Loire), ingénieur militaire, urbaniste...

On visite aujourd'hui la chambre rouge au grand lit Renaissance, où ***Léonard*** vécut et mourut, la salle à manger où il recevait en grand seigneur, la cuisine où régnait ***Mathurine***, son cabinet de travail où il dessina les plans de Romorantin, établit le projet d'assèchement de la Sologne, imagina des maisons démontables. On peut également admirer les étonnantes fresques du XVIIe siècle, toutes de facture italienne, dans la chapelle royale récemment restaurée: *l'Annonciation, l'Assomption* et la *Vierge de Lumière* attribuées aux disciples qui l'avaient accompagné.

A la mort du Maître, ***François Ier*** fit venir une seconde colonie d'artistes italiens, puis ***Louise de Savoie*** récupéra le Cloux et le vendit à ***Philibert Babou***, seigneur de la Bourdaisière. Sa femme, ***Marie la belle Babou***, fut la favorite de ***François Ier*** qui venait la voir discrètement grâce au souterrain qui reliait Amboise au Cloux et que l'on visite encore. A la mort de ***Marie***, déjà veuve, le Cloux passa à son gouverneur, ***Michel de Gast***, qui tua le ***cardinal de Lorraine*** lors de la conjuration d'Amboise. Le roi le récompensa généreusement; ***Robert***, fils de ***Michel***, fut "***Seigneur de Lucé et de Montgagier***"; il était également proche du roi. En 1636, le Clos-Lucé passa à la maison d'Amboise.

Propriété de la famille ***Saint-Bris*** depuis 1802, le Clos-Lucé a fait l'objet, depuis trente ans, d'un important chantier de restauration. Faire revivre cette maison et lui rendre le visage que ***Léonard*** lui avait connu, en retrouvant à la fois les murs d'origine, les poutres, les cheminées, les fresques, et en renouant avec l'esprit qui y régnait au temps éblouissant de la Renaissance, telle est la mission culturelle à laquelle se consacre aujourd'hui ***Jean Saint-Bris***.

Le Clos-Lucé est devenu un espace de loisir culturel accessible à tous, offrant à la visite une demeure Renaissance entièrement meublée, les quarante fabuleuses machines de ***Léonard*** réalisées par IBM, à partir de ses dessins: la première automobile, le premier hélicoptère, le char d'assaut, etc. Montée sur quatre roues, cette machine de guerre devait être mue à la main grâce à un système de manivelles. Elle apparaîtra dans l'armée à la guerre de 1914-18 et constitue l'une des plus étonnantes anticipations de l'an 2000 par ***Léonard***, génie pluridisciplinaire unique en Europe. Un film de cinquante-six minutes projeté sur grand écran vidéo retrace la vie et l'œuvre de ***Léonard de Vinci***.

Jean Saint-Bris a su faire revivre ce lieu de mémoire au bénéfice de tous, grâce à une vision et une démarche innovantes de la mise en valeur des monuments. Pour la première fois, une communication multimédia (relations presse, affichage, radio, T.V.,...) et une véritable approche marketing ont été mises au service d'un monument historique, lieu de mémoire, pour répondre aux attentes du public. L'ambition de ***Jean Saint-Bris***: transmettre un message pédagogique et culturel dans "un château pour tous".

Véritable entreprise culturelle, le Clos-Lucé a connu une des plus fortes progressions de fréquentation de ces dernières années, passant en dix ans de 38 000 à 260 000 visiteurs par an. Il accueille un public international (visite en six langues) et constitue en Europe le plus grand lieu de synthèse du génie de ***Léonard de Vinci***. Dans le grand parc, un Prieuré datant du XVe siècle a été récemment restauré et accueille événements et séminaires d'entreprises.

Autoportrait de Léonard de Vinci

"Il est sur terre des hommes au talent infini, au génie universel. Ils sont rares, Léonard de Vinci est de ceux-là. Et d'abord, un homme passionné, passionné de tout, curieux de tout, doué en tout, amoureux de la vie. Il écrit, tel un message qu'il nous laisse: "Ne pas estimer la vie, toute la vie, c'est ne pas la mériter". "Qui pense peu se trompe beaucoup", dit-il encore. Il est artiste avant tout peintre, mais encore sculpteur, architecte, musicien et poète. Il est aussi un savant étonnant, inventeur génial, musicien et poète. Il cherche, innove, crée sans cesse au cours d'une longue vie bien remplie et trop courte pour lui".

Jean Saint-Bris

Pages suivantes

Le char d'assaut

"Ce char d'assaut, mieux que des éléphants, pourra semer la terreur dans la chevalerie de l'ennemi"... "Je ferai des chars couverts qui entreront dans les rangs ennemis avec leur artillerie et nulle compagnie d'armes n'est si grande qu'ils ne puissent l'enfoncer..."

Léonard de Vinci

LE COUDRAY-MONTPENSIER

Perché sur le point culminant du coteau de Seuilly "à une lieue et demie de Chinon", le château du Coudray-Montpensier domine le pays de ***Rabelais*** : en face de la vallée se dresse sa maison natale, la Devinière, à ses pieds s'allonge le beau village de Seuilly qui abrite l'abbaye où fut élevé ***Rabelais*** et où il situe les exploits de ***Frère Jean des Entommeures***. C'est de Seuilly que ***Frère Jean*** chassa avec sa croix les fouaciers de Lerné, ce qui déclencha la guerre picrocholine entre l'irascible ***Picrochole***, le roi de Lerné, et le paisible prince de Seuilly, ***Grandgousier***.

La première forteresse fut élevée sur le site au XIe siècle par les ***Montsoreau***. Les propriétaires successifs furent les ***Marmande, Sainte-Maure*** et ***d'Artois***. Pendant la guerre de Cent Ans, Le Coudray est "une forteresse belle et bonne et notable à ponts leveys, douves, barbequannes et que pour la défense et garde dicelle il y avait capitaine et plusieurs gens du pays des environs qui se retiraient en icelle pour la fortune de la guerre."

Marie de Blois, duchesse d'Anjou, reine de Jérusalem et de Sicile, fait planter un coudrier rapporté de Byzance dans le parc du château dont son mari, ***Louis Ier d'Anjou***, fils cadet de ***Jean le Bon***, a fait l'acquisition. En 1400, Le Coudray passe aux ***Bournan*** qui entreprennent sa reconstruction, durant quatre décennies. On leur doit l'aile du fond, haute de trois étages, qui constitue le bâtiment principal, le châtelet et son pont-levis avec sa poterne et la chapelle en retour d'équerre. La tour nord-est abrite une magnifique cheminée aux armoiries de ***Jeanne d'Arc*** car, comme beaucoup de châteaux, Le Coudray s'enorgueillit de son passage. En 1482, le fils naturel de ***Jeanne de Bournan***, bâtard ***de Bourbon***, achète Le Coudray à son demi-frère et il y ajoute le nom de Montpensier dont il possède le fief; il restaure et embellit le château.

Un fleuron de l'architecture du XVe siècle

En 1845, M. Touchard-Lafosse, dans son remarquable ouvrage La Loire Historique, évoquait avec nostalgie les heures glorieuses du Coudray : "Le château du Coudray-Montpensier, avec ses tours crénelées, vieillard de pierre dont les blanches constructions semblent, en dépit des siècles, annoncer une persistante jeunesse". Près d'un siècle plus tard, Le Coudray recouvrait son lustre d'antan grâce à Pierre-Georges Latécoère.

A sa mort, sa femme ***Jeanne de France***, fille naturelle de ***Louis XI***, poursuit les travaux : la tour sud-ouest, dite tour de Montpensier, la galerie basse, la tour polygonale de l'escalier avec sa tourelle en encorbellement et la tour nord-est. En 1532, ***Guillaume Poyet*** qui, par l'ordonnance de Villers-Cotterêts, en 1539, instaura la tenue obligatoire des registres de baptême et de décès en français, fit l'acquisition du Coudray. Mais ***Poyet*** fut

disgracié pour concussion et ***François Ier*** récupéra Le Coudray ; il le donna, en 1545, à son chambellan, ***Jean d'Escoubleau***. En 1699, la femme de ***Henri d'Escoubleau, Magdeleine de Mallezet de Chastelus***, fit la jonction entre la galerie basse et la tour de Montpensier. En 1714, les ***Vallière*** achetèrent Le Coudray et, en 1724, le léguèrent à leur petit-neveu, ***Claude de Lamote Baracé***, dont la famille conservera Le Coudray jusqu'en 1915, embellissant le château et le parc. En 1926, ***Joseph-Félix Dahon***, beau-père de ***Maurice Maeterlinck***, fait l'acquisition du Coudray. En 1930, ***Pierre-Georges Latécoère*** rachète Le Coudray qu'il restaure remarquablement et sur l'emplacement des anciennes terrasses, il crée un jardin Renaissance inscrit à l'Inventaire supplémentaire des Monuments historiques en 1994. Depuis 1963, Le Coudray appartient à la Ville de Paris.

LANGEAIS

L'histoire de cette sévère forteresse de pierres grises est ancienne, mais la construction actuelle, qui est l'œuvre de ***Jean Bourré***, constitue cependant l'un des derniers exemples de forteresse ; Azay-le-Rideau ne fut conçu que cinquante ans après.

A l'origine, il y a une bourgade gallo-romaine, Alingavia, puis ***saint Martin***, nous apprend ***Grégoire de Tours***, y construit une église. Sans doute, y eut-il aussi une forteresse qui dépendait de cette église, car, en 984, le fougueux ***Foulques Nerra***, qui ne choisissait pas ses sites au hasard, y édifia un castrum dont nous voyons encore les ruines : son donjon de brique et de pierre est le plus ancien de France.

Après d'âpres luttes, les ***comtes d'Anjou*** emportèrent Langeais sur les ***comtes de Blois***. Puis ***Philippe Auguste*** fit rentrer Langeais dans la couronne royale, en l'échangeant avec ***Robert Vitré***, qui tenait la forteresse d'un ***comte d'Anjou***, contre la baronnie de Saint-Sever. ***Philippe Auguste*** en concéda la jouissance au sénéchal de Touraine, ***Guillaume des Roches***, puis ***Louis VIII*** et ***Louis IX*** à ***Hugues de Lusignan***, mais le futur ***saint Louis*** le lui confisqua un temps. Après la victoire de Taillebourg sur le ***roi d'Angleterre*** et le ***comte de la Marche, Louis IX*** reprit encore Langeais qu'il donna à son frère, ***Alphonse de France***. Celui-ci le vendit en 1270 à ***Pierre de la Brosse***, chambellan et favori de ***Philippe le Hardi***. Ce favori voulut reconstruire Langeais, mais il fut disgracié et pendu à Montfaucon, à la suite d'un différend avec la femme de ***Philippe, Marie de Brabant***.

Pendant la guerre de Cent Ans, Langeais souffrit de la présence de chevaliers pillards anglais et il fallut payer deux mille écus d'or pour libérer Langeais. Le château fut rasé à l'exception de la grosse tour.

Cette situation particulière explique pourquoi ***Louis XI*** accorda beaucoup d'importance à ce site. Il confia à ***Jean Bourré*** le soin de reconstruire une forteresse dissuasive à Langeais, même s'il s'agissait alors d'intimider les Bretons, plutôt que les Anglais enfin disparus. Le château devait rester dans le domaine royal jusqu'en 1631. Dès 1466, ***Jean Bourré*** cède ses droits sur Langeais au fils du célèbre compagnon de ***Jeanne d'Arc, François d'Orléans***, comte de Dunois. En 1476, Langeais appartient à ***Jeanne de France***, fille naturelle de ***Louis XI*** et femme de ***Louis de Bourbon***. En 1491, ***Louis***

Une restauration exemplaire

Forteresse à l'extérieur, mais déjà demeure de plaisance sur la façade intérieure, le château de Langeais présente un bel exemple de l'art de vivre au début de la Renaissance. Mais il ne doit ni ses meubles ni ses tapisseries du XVe siècle à ses propriétaires successifs, puisque, au XIXe siècle, il était dans un tel état de délabrement que les habitants de Langeais y conservaient leur foin. C'est aux Siegfried, qui hésitèrent entre l'achat de Chenonceau ou celui de Langeais, que le château doit son redressement. Ils lui consacrèrent leur vie, sans cesse réparant, redressant les façades et traquant l'œuvre d'art authentique pour en orner l'intérieur. Mais ce couple exceptionnel, originaire d'Alsace, qui décida de consacrer sa vie et sa fortune à l'un des hauts lieux de l'Histoire de France, en fit don à l'Institut de France en 1904, afin d'assurer la sauvegarde du château.

d'Amboise, évêque d'Albi, y célèbre l'un des mariages les plus importants de l'Histoire de France : celui de ***Charles VIII*** et d'***Anne de Bretagne***.

En 1565, Langeais appartient à la favorite de ***Charles IX, Marie Touchet***, plus tard, à ***Henri Effiat, marquis de Cinq-Mars*** et père du héros tragique, puis à ***Hortense Mancini***, nièce de ***Mazarin***. En 1766, le ***duc de Luynes*** le rachète et le conserve jusqu'à la Révolution.

Ses derniers propriétaires, les ***Siegfried***, le restaurèrent remarquablement, le remeublèrent et le léguèrent à l'Institut de France.

LOCHES

Ce formidable donjon rectangulaire rappelle sans équivoque le passé belliqueux de la charmante ville de Loches. Pourtant, c'est à un monastère que la ville doit son importance. Il fut fondé au Ve siècle par l'évêque de Cahors, le futur ***saint Ours***. Au pied du monastère se développa une bourgade, sur la colline qui dominait le site, on construisit une forteresse ; ***Grégoire de Tours***, au VIe siècle, la mentionne. Plus tard, ***Pépin*** l'anéantit, mais ***Charles le Chauve*** la releva. Elle passa dans l'escarcelle des ***comtes d'Anjou*** par le mariage de ***Foulques le Roux***. Son fils, ***Foulques Nerra***, fit élever l'imposant donjon que nous voyons encore aujourd'hui. Loches constituait l'une des bases stratégiques de ***Foulques*** dans ses attaques contre le ***comte de Blois***.

Au XIVe siècle, furent construits des appartements royaux plus confortables que le donjon, le Vieux Logis, sur la colline à l'extrémité du donjon. Le périmètre de l'enceinte qui protège le tout atteint presque deux kilomètres. Entre le donjon et le Vieux Logis s'élève

l'ancienne collégiale Notre-Dame, baptisée église Saint-Ours sous l'Empire car la Révolution avait détruit l'église consacrée à ***saint Ours***. Cette construction des XIe et XIIe siècles est des plus originales : entre les deux tours à flèche se profilent deux pyramides de pierre, à huit pans, appelées dubes par ***Thomas Pactius*** qui fut le prieur du chapitre au XIIe siècle. Ces deux pyramides constituent le plafond de la nef. Devant l'église, on admire un remarquable porche orné d'une voûte d'ogives angevine, comme dans la cathédrale d'Angers. A droite du portail, un autel gallo-romain retrouvé dans les fouilles rappelle l'ancienneté de la cité. Au cours du XVe siècle, ***Louis XI*** renforça les défenses du site en faisant élever contre la muraille, face au donjon, le Martelet et la Tour ronde ou Tour neuve. Les deux bâtiments devaient servir de prisons. Le ***cardinal La Balue*** expérimenta, peut-être, dans la Tour ronde les fameuses "fillettes" ou cages de fer : le fidèle ***Commynes*** y fut enfermé huit mois. C'est dans le Martelet qu'un siècle plus tard ***Louis XII*** enferma quatre ans (1504-1508) le ***duc de Milan, Ludovic Sforza***. Le malheureux s'occupa à couvrir les murs de dessins et inscriptions et mourut, au soleil, en recouvrant la liberté.

C'est dans ce Vieux Logis que ***Jeanne d'Arc*** vint avec ***Gilles de Rais*** convaincre ***Charles VII*** d'aller à Reims pour se faire sacrer ; c'est là aussi qu'***Agnès Sorel*** se réfugia pour échapper aux humiliations que lui imposait à Chinon le ***Dauphin*** et là que ***Charles VII*** vint souvent la retrouver. Mais c'est surtout par son mausolée que la première des favorites officielles a marqué son passage à Loches.

En 1970, son beau gisant de marbre blanc fut transféré d'une tour adossée au Vieux Logis et baptisée tour de la Belle Agnès à l'intérieur même du Vieux Logis. Il était autrefois dans l'église Saint-Ours et des chanoines choqués et zélés vinrent demander à ***Louis XI*** de le retirer de ce lieu de culte. ***Louis XI*** accepta, à condition que les chanoines rendent aux héritiers d'***Agnès*** les dons qu'elle leur avait faits. Aussi, le mausolée resta-t-il dans l'église jusqu'au règne de ***Louis XVI*** ; il fut alors transporté dans une chapelle du château mais les Révolutionnaires prirent ***Agnès*** pour une sainte et profanèrent le mausolée.

A ce Vieux Logis construit en hauteur et auquel quatre tourelles apposées sur la façade et reliées entre elles par un chemin de ronde confèrent un aspect médiéval s'oppose le Nouveau Logis de ***Charles VIII*** et ***Louis XII***, qui renferme l'oratoire d'***Anne de Bretagne*** agrémenté de ses emblèmes : la cordelière et l'hermine. Ce Nouveau Logis, avec sa décoration beaucoup plus riche, et notamment ses lucarnes très travaillées, est la seule marque d'architecture non médiévale à Loches.

Le Vieux et le Nouveau Logis composent le Logis Royal. ***Henri II, Henri III, Charles IX*** et ***Henri IV*** séjournèrent à Loches. Et le dernier occupant royal de Loches fut la reine ***Marie de Médicis***, en fuite après son évasion de Blois.

Le donjon

Ce donjon fut l'un des nombreux sujets de dissension entre les fils de Henri II Plantagenêt : en 1193, Jean sans Terre le livre à Philippe Auguste alors que Richard Cœur de Lion est retenu prisonnier au retour d'une croisade. Mais, l'année suivante, Richard, enfin libéré, le récupère en trois heures. En 1205, Philippe Auguste le reprend, mais il lui a fallu en faire le siège pendant un an. Pour l'intégrer directement au royaume, Louis IX préfère le racheter au connétable Dreu qui avait dirigé le siège de Loches et à qui la forteresse avait été concédée. Louis IX y séjournera, comme beaucoup d'autres rois.

LE LUDE

Lorsqu'en 1457, ***Jean de Daillon*** fait l'acquisition du site, il y a déjà un demi-millénaire que Le Lude compte parmi les seigneuries d'Anjou. Et ***Jean de Daillon*** attendra 1470 pour entreprendre de transformer la forteresse en un magnifique château de plaisance. Pendant cette longue décennie, l'existence de ***Jean de Daillon*** a connu des fortunes diverses. Celui que ***Louis XI*** surnomma "Maître Jean des Habiletés" est né à Bourges, en 1423, le même jour que lui. Tous deux ont été inséparables jusqu'à ce jour de 1453 où ***Jean***, lassé des turbulences du ***Dauphin***, a choisi le parti de son père, ***Charles VII***. Blessé, ulcéré, ***Louis XI***, dès son accession au trône en 1461, met à prix la tête de son ancien compagnon. Celui-ci se réfugie dans une grotte de la région et s'y cache pendant sept ans, jusqu'à ce que ***Louis XI*** préfère mettre son intelligence à son service. Il fera de l'ancien banni son chambellan, puis il le nommera gouverneur du Dauphiné, à Roussillon, où il mourra en 1482, un an avant son souverain. Au Xe siècle, ***Foulques Nerra*** avait jugé le site excellent : il en avait fait son poste d'observation sur le Loir. Au XIIIe siècle, Le Lude était une imposante forteresse. En 1425, les Anglais s'emparèrent du site, deux ans après, ***Gilles de Rais*** et ses compagnons le leur arrachaient. "Maître Jean des Habiletés" avait jeté son dévolu sur un site d'envergure.

Il faudra trois siècles pour achever la construction de l'ensemble, parfaitement réussi, et ce n'est qu'à la fin du XIXe siècle que les jardins seront réaménagés à la française par ***Edouard André*** ; à la veille de la Première Guerre mondiale, la tour nord-ouest fut restaurée dans le style de Chambord.

Le château lui-même est construit sur l'ancienne forteresse féodale et il est entouré de fossés asséchés de trois côtés. L'aile est donne sur une terrasse qui s'avance jusqu'au bord du Loir. Il présente un plan classique avec trois corps de bâtiments ponctués de quatre tours d'angle dont les créneaux et les mâchicoulis ne servaient qu'à la décoration. Le Lude présente distinctement ses longues années de construction.

De la Renaissance au XVIIIe siècle

Aux confins du Maine et de l'Anjou, massivement campé sur les bords du Loir, le château du Lude, aujourd'hui propriété de la famille de Nicolaÿ, offre un exemple assez rare de l'évolution de l'architecture française de son origine au Xe siècle jusqu'au clacissisme du siècle des Lumières. Remarquable par l'harmonieuse diversité des styles qui ornent ses façades, le château ne l'est pas moins par la qualité artistique des appartements intérieurs, notamment par l'imposante succession des salons du rez-de-chaussée aux vastes dimensions, avec les mobiliers, les tapisseries et les peintures. Cet agrément se prolonge à l'extérieur parmi les jardins qui longent le cours du Loir ou qui le dominent du haut de la terrasse bordée sur deux cents mètres d'une élégante balustrade élevée au XVIIe siècle.

Jean de Daillon commença par faire modifier les tours d'angle, puis il fit construire l'aile nord qui est du plus pur style gothique. Son fils, ***Jacques***, fit construire l'aile est et l'aile sud, superbes exemples d'architecture de la première Renaissance : médaillons

et sculptures y encadrent fenêtres et lucarnes. Les façades de la cour intérieure datent de ***Henri IV*** mais la façade est qui domine l'éperon sur le Loir ne fut terminée que sous ***Louis XVI***. Elle est ornée d'un fronton sculpté portant fièrement les armes des ***Talhouët*** qui héritèrent par alliance du château en 1798 et le firent restaurer. Aujourd'hui, Le Lude conserve précieusement ses décors d'origine, des cuisines aux salles de réception. L'une de ses fiertés est un Cabinet de peintures de l'école de ***Raphaël***.

LUYNES

Luynes représente un excellent exemple du château féodal devenu demeure de plaisance et possède la particularité de n'avoir appartenu qu'à deux familles depuis le début du second millénaire: les ***Maillé*** de 1106 à 1619, les ***Luynes*** depuis 1619.

Déjà, les Romains avaient installé un castrum sur cette hauteur remarquable. Luynes s'appelait alors Malliacum, ce qui devait donner Maillé.

En 1006, la forteresse n'échappe pas à la fougue dévastatrice de ***Foulques le Noir***. Un siècle après, ***Hardouin de Maillé*** la redresse; les ***Maillé*** étaient considérés comme la première baronnie de Touraine. En 1463, ***Hardouin IX de Maillé*** vend à ***Louis XI*** sa terre des Montils sur laquelle le souverain fait édifier Plessis-les-Tours. Cette vente inattendue permet à ***Maillé*** de restaurer sa forteresse, de faire poser de hautes fenêtres à meneaux sur la façade ouest, la plus imposante avec ses quatre grosses tours rondes coiffées de poivrières, et de faire élever à l'intérieur de l'enceinte un élégant logis seigneurial de brique et de pierre, flanqué d'une tourelle octogonale, dont ***Louis XI*** vient de lancer la mode à Plessis-les-Tours. A l'est du château, il fait élever l'ancienne église du chapitre des chanoines.

En 1619, ***Charles d'Albert de Luynes*** achète la terre de Maillé, que ***Louis XIII*** élève en duché-pairie. Les ***d'Albert***, d'origine florentine, s'étaient installés en Provence au XVe siècle et, en 1535, étaient devenus seigneurs de Luynes. ***Luynes*** avait été le plus fidèle compagnon de l'enfance tourmentée de ***Louis XIII*** et il joua un rôle important au début de son règne. Ennemi de l'inquiétant ***Concini***, il aida ***Louis XIII*** à le faire disparaître, en 1617. Il remporta également de nombreuses victoires contre les protestants. Il ne profita que deux ans de ***Luynes*** car il mourut dès 1621. C'est à lui que les ***Luynes*** durent leur formidable ascension. Au milieu du XVIIe siècle, l'architecte ***Le Muet*** ferma le côté sud de la cour par un château dont il ne reste plus que les pavillons des deux extrémités. Ce côté forme aujourd'hui une terrasse qui offre une vue exceptionnelle sur la vallée de la Loire. Le donjon primitif disparut en 1658. Au XIXe siècle, l'architecte ***Durban*** effectua des restaurations.

La seule forteresse médiévale authentique

Le Val de Loire est l'une des régions de France les plus riches en châteaux; sa grande époque est la Renaissance. Mais le château de Luynes constitue un cas à part: il est le seul témoin véritable des forteresses médiévales. Sa façade hérissée de tours féodales rappelle l'époque des rivalités meurtrières des comtes d'Anjou et de Blois.

Le pont-levis fut remplacé par un pont de pierre et l'on restaura l'élégant logis de brique et de pierre du XVe siècle. Dans la seconde moitié du XXe siècle, le ***duc*** et la ***duchesse de Luynes***, également propriétaires du château de Dampierre, en Ile-de-France, y effectuèrent de très nombreuses restaurations.

MONTPOUPON

Le délicieux patronyme de Montpoupon prend ses racines au moins chez les ***Carolingiens***: Mons Poppo. Même si les archives manquent, il est facile d'imaginer que Montpoupon, situé sur l'axe Loches-Montrichard, vit le passage de ***Foulques Nerra*** pourchassant ***Eudes de Blois***. Les premiers documents remontent à 1208 : un moine de l'abbaye de Marmoutiers mentionne Montpoupon parmi les donjons de Touraine ; ce donjon relevait de Montrichard, fief de la maison d'Amboise installée par les ***comtes d'Anjou***.

La tour actuelle, construite sur une base circulaire, comme d'autres vestiges, confirme ces affirmations. On connaît le Montpoupon des XIII et XIVe siècles. A la grosse tour actuelle s'appuyait un logis dont les murs subsistent jusqu'à l'échauguette, avec des demi-tours rondes sur la façade nord-ouest, des courtines reliant la grosse tour à la tour sud, isolée, et cette dernière à une poterne, hors cour, pourvue d'une herse. La chapelle était protégée par un mur qui fermait la cour, incluant l'échauguette.

Au XIVe siècle, et peut-être avant, Montpoupon appartenait aux ***seigneurs de Prie*** et ***Buzançais***. En 1412, les Anglais pillèrent les abbayes alentour et la guerre de Cent Ans laissa Montpoupon en piteux état.

En 1460, Montpoupon relève directement de la Couronne : ***Charles VII*** a dépossédé la branche aînée (maison d'Amboise) accusée de complot, et ce sont ***Antoine de Prie*** et ***Madeleine d'Amboise*** (branche de Chaumont) qui vont redresser Montpoupon pour en faire une gracieuse demeure de la première Renaissance tourangelle. Leurs descendants suivront avec fidélité les ***Valois*** et les grandes charges de ses propriétaires permettront de poursuivre l'élégante construction, à l'intérieur comme à l'extérieur. Les ***Prie*** seront : grand pannetier, grand queux, grand maître des Arbalétriers, lieutenant général du roi pour la Touraine, cardinal, évêques. ***Antoine de Prie*** ajouta, au nord, une pièce et un second mur de pignon. ***Aymar***, qui participa à toutes les guerres d'Italie et fut le dernier grand maître des Arbalétriers fit, vers 1500, construire, d'un seul jet, la poterne actuelle.

Vers 1650, Montpoupon appartient à ***Louise de Prie***, gouvernante des Enfants de France. ***Louis XIV*** et ***Saint-Simon*** estiment grandement cette ***duchesse de la Mothe Houdancourt*** qui, bien qu'elle vive à la Cour, reste "aussi vertueuse que belle" selon la plume si souvent acerbe du mémorialiste. A sa mort, en 1709, elle laisse sa charge à sa fille la ***duchesse de Ventadour*** et Montpoupon, à son autre fille, la ***duchesse de la Ferté-Sénecterre***, qui, comme sa mère, y vient fort peu.

En 1763, le ***marquis de Tristan*** achète le fief, considérant Montpoupon comme une propriété de rapport. Suivant le courant physiocrate de l'époque, il

Gardien des vallées

Isolé au cœur de la vaste forêt giboyeuse qu'il domine, Montpoupon a conservé aussi bien sa grosse tour du XIIIe siècle que le châtelet, ou poterne, qui garde l'entrée. Cette construction effectuée au retour des guerres d'Italie présente, sur sa face intérieure, un exemple intéressant de l'architecture de la première Renaissance tourangelle.

Pages suivantes

Le musée du Veneur

Musée intimiste, musée didactique, le château de Montpoupon, avec ses 25 salles ouvertes au public, invite à découvrir l'univers du veneur et ses coulisses. Souvent méconnue ou encombrée d'arguments fallacieux, la vénerie se laisse découvrir à Montpoupon comme un art autant qu'un sport proche de la nature. Revêtus de l'habit de soirée aux couleurs identiques à celles de la tenue de vénerie, les participants de deux équipages échangent leurs impressions de la journée, ou peut-être évoquent-ils l'histoire de "Antoine", un cerf méchant aux bois étonnamment dissymétriques, qui fut chassé six fois et blessa ou tua neuf chiens.

préfère améliorer les métairies, les moulins, le régime des eaux et organiser un remembrement plutôt que de restaurer le château. L'escalier à vis et sa tour furent démolis, les poutres peintes du XVIe siècle cachées sous de sobres plafonds, des appartements simples installés. Les Révolutionnaires ne démolirent que la chapelle de ce château qui avait perdu son éclat.

En 1836, ***Monsieur de Farville*** acheta Montpoupon. Il s'occupa à faire passer la route d'Espagne devant sa poterne et fit construire les grands communs actuels qui abritent aujourd'hui les vingt-cinq salles du musée du Veneur.

En 1857, ses héritiers vendirent à ***Jean-Baptiste de la Motte Saint Pierre*** Montpoupon qui fut remembré, reboisé et restauré. Dès 1860, la porte était rénovée, l'escalier et la tourelle restaurés. Mais 1873 reste la date majeure de la renaissance de Montpoupon : ***Emile de la Motte Saint Pierre*** fonde l'équipage de Montpoupon, ajoutant ainsi à ses fonctions de maire et de forestier celle de veneur réputé. Son fils, ***Bernard***, continuera jusqu'en 1949 à développer la renommée de son équipage qui se continue dans la Vénerie du Berry. Il était souhaitable que Montpoupon devînt le mémorial de l'art de la Vénerie et de la vie conviviale de la région.

La Chasse
LE VAUTRAIT DU BARON

MONTREUIL-BELLAY

L'histoire de Montreuil-Bellay, charmante cité perchée sur la rive droite du Thouet, à la limite de l'Anjou et du Poitou, se confond souvent avec celle de l'Anjou et des âpres combats que se livrèrent ici la France et l'Angleterre. Au début du second millénaire, il y eut peu de trêves entre ces deux puissances rivales et la forteresse construite sur le site choisi par ***Foulques Nerra*** fut l'enjeu de nombreuses convoitises. Les Romains avaient déjà élu le site pour y installer un oppidum. ***Foulques*** y élève un donjon pour surveiller ses turbulents voisins d'Aquitaine et Montreuil devient l'une des places les plus sûres de l'Etat angevin. Puis, en 1025, il la confie à l'un de ses vassaux, ***Berlay***, ancêtre du pacifique ***Joachin du Bellay*** (Berlay est devenu Bellay).

Berlay renforce si bien le donjon de ***Foulques*** qu'un siècle plus tard, ***Geoffroy Plantagenêt*** devra assiéger Montreuil plus de deux ans avant de s'en emparer. Pour se venger, il fait, en 1150, abattre les fortifications. En 1203, ***Philippe Auguste*** parvient à l'arracher à ***Jean sans Terre***, dernier héritier rebelle d'***Aliénor d'Aquitaine*** et de ***Henri II Plantagenêt***. Vingt ans après, les alliances s'inversent. ***Louis VIII***, pour récupérer Montreuil, doit se battre contre les Anglais... et les seigneurs angevins alors alliés. Montreuil perd, dès lors, son importance stratégique, mais ses propriétaires successifs maintiendront son allure de forteresse. En effet, dès 1224, ***Louis VIII*** conclut une trêve avec le ***roi d'Angleterre***, et ***Guillaume de Melun***, alors propriétaire de Montreuil, commence la construction. Il fait construire le "châtelet", étroit corps de logis flanqué de deux tours cylindriques couronnées de toits en poivrière et agrémentées de grandes lucarnes.

Mais l'étonnant château que nous admirons aujourd'hui est dû à ***Guillaume d'Harcourt*** qui resta le seigneur du lieu de 1428 à 1484 et fit de Montreuil une résidence confortable : l'originalité de ***Guillaume d'Harcourt*** fut d'entreprendre ses constructions, sans les ordonner, autour du donjon moyenâgeux qui devait subsister jusqu'au XIXe siècle. Il fit construire un vaste bâtiment dans lequel il engloba un châtelet plus ancien, une vaste chapelle collégiale à laquelle le pape accorda des indulgences ; à l'ouest de l'enceinte, le petit château, sans doute la résidence des chapelains,

Une puissante demeure féodale

La suppression totale des mâchicoulis et le sommet des tours transformé en terrasses pour installer des pièces d'artillerie marquent un tournant dans l'architecture militaire. Mais Montreuil-Bellay n'est pas qu'une imposante forteresse : son intérieur richement meublé témoigne de l'art de vivre des familles qui s'y succédèrent (Melun, d'Harcourt, Longueville, La Meilleraye, Cossé-Brissac, La Trémoille).

comprend quatre petits logis tout autour. Très ancienne également, une intéressante cuisine gothique à plan carré, avec une voûte en pyramide creuse à quatre pans moulurée d'ogives ; cette cuisine, autrefois reliée au corps du logis principal, rappelle celle de l'abbaye de Fontevrault construite à l'époque romane. ***Guillaume d'Harcourt*** entreprit également la construction du "château neuf", magnifique corps de logis élancé surplombant l'enceinte dont la terrasse est flanquée de deux imposantes tours. Celle qui abrite le grand escalier est percée de six étages de fenêtres à meneaux richement ornées. C'est cet escalier que la sœur de ***Condé***, la ***duchesse de Longueville***, gravit un jour à cheval. Elle y passa deux années d'exil pendant la Fronde, en galante compagnie dont celle du ***duc de La Rochefoucauld***.

LE MOULIN

Le château du Moulin, à Lassay-sur-Croisne mérite son surnom de "perle de la Sologne", aussi bien par la finesse de son architecture que par sa situation privilégiée au cœur d'une magnifique forêt giboyeuse. Le château est bâti sur un terre-plein de plan carré entouré de douves en parfait état.

Son aspect général est celui d'un château féodal. Il se compose de deux bâtiments en équerre indépendants l'un de l'autre. Sa construction, qui précède la Renaissance, est encore imprégnée d'une influence gothique, par sa grâce et sa légèreté. A l'origine, le château du Moulin n'a pas été conçu comme une forteresse, mais comme un manoir de prestige par ***Philippe du Moulin***, qui avait obtenu le droit de haute et basse justice. On sait peu de chose sur ce gentilhomme solognot, mais on attribue son extraordinaire fortune à l'aide qu'il aurait apportée à ***Charles VIII*** à la bataille de Fornoue, le 6 juillet 1495.

La légende dit que ***Philippe du Moulin*** avait donné son cheval au roi, mais ***Commynes***, qui assista à cette bataille, écrit que ***Charles VIII*** montait le cheval du ***duc Charles de Savoye. Montaigne***, dans ses *Essais*, infirme également la légende du cheval, mais tous deux évoquent la présence efficace de ***Philippe du Moulin*** à la bataille de Fornoue. Il semble qu'il permît au jeune roi de se dégager d'une situation périlleuse et il est prouvé qu'il fut fait chevalier sur le lieu même de la bataille.

Avant Fornoue, ***Philippe du Moulin*** appartenait au Conseil du Roi ; après, il devint "Chambellan ordinaire du Roi". Et la faveur royale lui permit également d'épouser la puissante dame ***Charlotte d'Argouges***, veuve de ***Jean d'Harcourt***. La légende voulait que ***Marie*** descendît d'une fée qui avait aidé ***Robert d'Argouges*** à combattre, au XIIe siècle, un soldat allemand au cours d'un duel à Bayeux. Cette fée épousa par la suite ***Robert d'Argouges***, à la seule condition de ne jamais prononcer devant elle le mot "mort". Hélas, un jour, ***Robert*** oublia son serment et l'épouse-fée disparut, laissant l'empreinte de son pied sur la margelle d'une fenêtre de son manoir d'Argouges, près de Bayeux. Le 25 mai 1497, ***Charles VIII*** donna l'ordre de verser au nouvel époux de ***Charlotte*** les dix mille écus d'or que ***Charles d'Anjou***, roi de Sicile et sénéchal du Maine, avait octroyés à son chambellan, ***Jean***, bâtard ***d'Harcourt. Philippe*** pouvait ainsi poursuivre avec brio les travaux du Moulin commencés assez sobrement au moins dès 1480. La mort brutale de ***Charles VIII***, en 1498, permit au fils de ***Charles d'Orléans***, dont ***Louis XI*** avait voulu éteindre la branche, de devenir le roi ***Louis XII***. Pragmatique et magnanime, le futur souverain se plut à répéter que : "Ce n'est pas au roi de France à venger les injures faites au duc d'Orléans". L'allusion, là, concernait la bataille de Saint-Aubin-du-Cormier où, en 1488, ***Philippe*** avait loyalement servi ***Charles VIII*** contre le ***duc d'Orléans***, fait prisonnier ; ***Louis XII*** confirma ***Philippe*** dans ses fonctions de chambellan.

Une légende d'un tout autre ordre entoure encore ***Philippe*** : il aurait fait construire, de nuit par un ouvrier aux yeux bandés, un souterrain pour protéger ses richesses, mais l'ouvrier avoua avoir repéré l'endroit et ***Philippe***, de rage, le tua. Pour expier, il partit à Rome voir le pape qui lui accorda l'absolution s'il édifiait sept chapelles à ses frais, ce qu'il fit. Il y a deux chapelles au Moulin, l'une, en excellent état, communique avec le salon. Elle a conservé quelques vitraux d'origine ; l'autre, en ruine, se situe à côté de la grosse tour. La sixième chapelle serait celle de Lassay, qui contenait de précieuses reliques rapportées de Rome et abrita par la suite le cœur et le gisant de ***Philippe*** ; elle comporte aussi une fresque de ***Philippe*** en ***saint Christophe*** portant l'enfant Jésus sur son épaule.

Le château resta, par les femmes, dans la famille de ***Philippe du Moulin*** jusqu'en 1900. ***Monsieur de Marchéville*** l'acheta alors et le fit admirablement restaurer.

Pages précédentes

Un château très élégant

En Sologne, la brique est reine car la pierre est rare. En utilisant des briques losangées et de la pierre blanche de Bourré pour animer les angles, l'architecte a remarquablement réussi la construction du Moulin. Sur les murs ouest et sud, il a laissé d'énigmatiques carrés de briques, carré magique pour certains, ayant leur modèle dans l'Antiquité, jeu d'enfants pour d'autres.

La chambre d'Honneur

Les rideaux qui encadrent le lit ont trois cents ans. Ils sont en droguet, mélange de chanvre et de lin. A droite, on remarque une armoire Louis XIII taillée en pointe de diamant. Sa particularité est d'être losangée également sur les côtés, alors que, en général, seule la façade est travaillée.

LE PLESSIS-BOURRÉ

Construit en cinq ans (1468-1473), le château représente un très bel exemple de demeure seigneuriale, immuable depuis plus de cinq siècles. A l'abri de ses larges douves qu'il faut franchir par un pont de quarante-quatre mètres qui s'appuie sur sept arches, cette élégante construction, également protégée par ses tours et son chemin de ronde, fut édifiée par le plus fidèle compagnon de ***Louis XI, Jean Bourré***.

Au contraire de ***Commynes*** qui marqua un temps sa désapprobation à l'égard de l'"universelle aragne", ***Jean Bourré*** avait fait un choix qui s'avéra judicieux : il suivit fidèlement le fils de ***Charles VII***, peu en grâce auprès de son père et l'accompagna, dauphin, en Dauphiné comme en Flandre.

Dès son accession au trône en 1461, ***Louis XI*** le récompensa généreusement et lui confia la charge de secrétaire général des Finances et de grand trésorier du Royaume, fonctions que ***Charles VIII***, puis ***Louis XII*** lui conserveront jusqu'à sa mort en 1506, à l'âge de quatre-vingt-trois ans.

Grâce aux largesses royales, ce grand commis de l'Etat put faire l'acquisition du domaine du Plessis-le-Vent. En 1465, ***Louis XI*** lui confia la charge d'élever une forteresse à Langeais, sur les ruines du donjon de ***Foulques Nerra*** : il s'agissait de bloquer toute tentative d'avance des Bretons vers la Touraine. En 1469, l'austère Langeais était terminé mais, dès 1468, ***Jean Bourré*** mettait sa récente expérience de bâtisseur au service du domaine qu'il venait d'acquérir. Au Plessis, il était chez lui et il put laisser libre cours à son sens de l'esthétisme comme à son imagination. Il fit édifier un château de conception nouvelle, à mi-chemin entre la forteresse et la demeure de plaisance.

Forteresse, le Plessis-Bourré l'est en raison de ses larges douves, des quatre tours qui ponctuent ses quatre angles, mais les quais larges de trois mètres qui encerclent la construction signalent l'évolution du système de défense : ils permettent l'installation de canons destinés au tir rasant.

Demeure de plaisance, le Plessis-Bourré l'est également : le logis principal, avec ses trois étages terminés par de hautes et belles fenêtres à meneaux, domine les trois autres côtés, relativement bas, qui encadrent la cour intérieure cerclée d'une élégante galerie à arcades. Le décalage de hauteur entre le logis seigneurial et les autres corps de bâtiment est dicté par le souci de laisser passer la lumière du jour, particulièrement belle en Anjou.

Une forteresse de plaisance

Le Plessis-Bourré, prestigieuse demeure seigneuriale à l'abri de ses élégantes douves, conserve une allure aussi séduisante qu'insolite. Le site plut aux fastes de Charles VIII comme au réalisateur du film Peau d'Ane, où le merveilleux trouve un cadre à sa mesure.

Jean Bourré aménagea son château avec tant de soin, de confort et de raffinement que ***Charles VIII*** et ***Anne de Beaujeu*** y reçurent fastueusement, en 1487, les ambassadeurs de Hongrie, puis d'autres hôtes de marque. Le Plessis-Bourré resta dans la même famille jusqu'en 1751 et il ne souffrit pas trop à la Révolution, malgré la condamnation de son propriétaire, le ***comte de Ruillé***. Au début du XXe siècle, le Plessis-Bourré fut réaménagé avec beaucoup de goût et de belles boiseries XVIIIe réchauffèrent les murs de pierre. Encore privé aujourd'hui, il appartient à la famille ***Reille-Soult de Dalmatie*** qui l'habite toute l'année.

La grande originalité du Plessis réside dans les vingt-quatre caissons du plafond de la Salle des Gardes, longue de onze mètres. Peintures sur bois aux figures allégoriques, alchimistes ou pour d'autres, malicieuses, certaines scènes légendées en caractères gothiques conservent encore aujourd'hui un aspect énigmatique.

Pages suivantes

Un mobilier exceptionnel

Les châteaux du Val de Loire ont souvent un cadre, une architecture ou un mobilier. Certains, comme le Plessis-Bourré, conjuguent avec bonheur ces trois données. Le Plessis-Bourré, demeure habitée depuis sa création, possède un très beau et très riche mobilier.

PLESSIS-LES-TOURS

Cette sobre construction de brique rehaussée de pierre blanche laisse peu imaginer combien la seule évocation de son nom associé à celui de son royal occupant faisait trembler le peuple de France : Plessis-les-Tours était la résidence préférée de ***Louis XI***. Mais les réputations sont souvent trompeuses. Plessis-les-Tours n'était pas la sinistre forteresse que s'est plu à imaginer ***Walter Scott*** dans son *Quentin Durward*, puisqu'elle se situe au milieu d'une vaste plaine et que longtemps sa seule protection fut une ceinture de douves ; de plus, l'"universelle aragne" était plus méfiant que cruel, malgré le sombre souvenir laissé par ses "cages" qui a effacé dans les mémoires toute l'action positive de son règne. L'histoire de Plessis-les-Tours ne commence vraiment qu'à la fin du XVe siècle. Deux ans après son accession au

trône, ***Louis XI*** achète à son chambellan, ***Audoin Touchard de Maillé***, le domaine des Montils, situé à trois kilomètres de Tours. Ce site possède un avantage certain: des souterrains le relient à Tours, quand la Loire et le Cher ne sont pas en crue.

Louis XI fait élever un manoir assez simple sur cette terre où ***Charles VII*** avait fait réaliser des travaux importants alors qu'il n'était que l'hôte des Montils. On possède peu d'éléments sur les travaux réalisés par ***Louis XI***: fit-il remodeler ou rasa-t-il l'ancien manoir pour reconstruire le sobre Plessis-les-Tours où dominait la brique à l'extérieur, comme à l'intérieur l'attestent les murs?

Des gravures de ***Gaignières***, le fonds ***Godefroy*** et un inventaire de la Révolution permettent d'imaginer à Plessis-les-Tours un quadrilatère de cinquante mètres sur trente-cinq mètres protégé par des douves. Les appartements royaux se trouvaient sur le côté et non pas face au portail d'entrée, comme il était généralement d'usage; ils dominaient d'un étage les autres appartements, mais pas la chapelle.

Dix ans après avoir fait l'acquisition du domaine, en 1473, se sentant de plus en plus menacé – et le fidèle ***Commynes*** assure qu'il y eut bien "quelques paroles" envisageant l'enlèvement du roi –, ***Louis XI*** fit clore le Plessis d'un mur de trois mètres de haut et de quatre petites tours. Son ennemi, ***Charles le Téméraire***, le puissant ***duc de Bourgogne***, était au moins aussi rusé que lui.

Plessis-les-Tours n'eut, en fait, qu'un seul seigneur et maître, ***Louis XI***, et il ne l'habita pas toujours. En 1464, ***Jeanne de France*** y naquit. La sœur d'***Anne de Beaujeu***, née en 1462, et de ***Charles VIII***, né à Amboise en 1470, tous trois enfants de ***Louis XI*** et de sa seconde femme, ***Charlotte de Savoie***, n'eut pas une vie heureuse. La sachant stérile, ***Louis XI*** la maria très jeune à ***Louis XII***, qui la répudia pour épouser la veuve de ***Charles VIII, Anne de Bretagne. Jeanne*** s'installa à Bourges où elle fonda l'ordre de l'Annonciade en 1501; elle mourut quatre ans plus tard et fut canonisée en 1950. ***Louis XI*** mourut le 30 août 1483 à Plessis-les-Tours. Un an avant sa mort, très inquiet de l'au-delà, il avait fait venir un ermite calabrais, le futur ***saint François de Paule***, assez réticent, et le pape avait dû le convaincre. Le saint homme refusa tous les présents du roi et n'accepta qu'une modeste construction qui fut le premier couvent des Minimes. ***Louis XI*** réussit même à faire venir au Plessis la Sainte Ampoule pour le protéger de la mort, mais en vain. Par la suite, ***Louis XII*** et ***François Ier*** firent effectuer certaines modifications à l'austère manoir.

En 1506, ***Louis XII*** y obtint le titre de Père du peuple dans la vaste salle des Etats. ***Henri III***, en 1577, y fêta somptueusement la victoire de son frère sur les huguenots et, en 1589, il y rencontra le futur ***Henri IV*** pour sceller l'alliance des royalistes et des réformés contre la Ligue. A la Révolution, le domaine fut vendu comme bien national, puis l'ancien manoir devint une modeste ferme et il fut restauré par le docteur ***Chaumier***.

Un manoir très redouté

Même si l'Histoire a déformé l'image de Louis XI, ne laissant faussement subsister qu'une réputation étriquée et cruelle d'"universelle aragne", il n'en est pas moins vrai que Louis XI fit installer, à l'intérieur même de Plessis-les-Tours, une forge destinée à construire, sous ses yeux, ses fameuses cages. Elles étaient destinées aux châteaux d'Angers, de Chinon, de Loches et du Mont-Saint-Michel. Mais, contrairement encore à la légende, Louis XI ne fut pas l'inventeur de ces cages car elles existaient en Italie à la fin du XIIIe siècle.

SACHÉ

A Saché, le Val de Loire vit au rythme du XIXe siècle, même si la construction remonte aux XVIe et XVIIe siècles et que ***Balzac*** ne fut pas propriétaire du lieu. Il y fit de longs séjours, y écrivit, en fit la description, y situa un roman et ce géant de la littérature, originaire de Touraine, est indéfectiblement attaché à sa région.

Madame de Mortsauf, la vertueuse héroïne du *Lys dans la vallée*, éloigne un peu ***Balzac*** des noirceurs parisiennes si complaisamment décrites autant que des tourments d'argent et d'huissiers et rattache le plus grand romancier français à son terroir natal.

Le Père Goriot, Louis Lambert, La Recherche de l'Absolu, Maître Cornelius, Les Illusions perdues furent commencés entre le lit, la table et l'indispensable cafetière de sa chambre de Saché. L'hôte propriétaire du lieu était ***Monsieur de Margonne***, ami de la famille et les mauvaises langues restreignent cette amitié à ***Madame Balzac***, car il n'y avait pas encore de particule. ***Balzac*** vint régulièrement à Saché jusqu'en 1838, puis une dernière fois en 1848. ***Madame de Margonne***, avare et totalement allergique à ***Balzac***, contribua certainement à noircir une certaine image de l'épouse dans le roman balzacien.

Saché, c'est avant tout *Le Lys dans la vallée* où ***Balzac*** s'est attaché à "la grande question du paysage en littérature". Le cadre naturel et harmonieux qu'il aperçoit de sa chambre sous les toits est en parfaite communication avec la passion épurée de ***Félix de Vandenesse*** pour ***Madame de Mortsauf***.

Déjà, quand il arrive de Paris, le paysage de Saché l'apaise : "Je vis dans un fond les masses romantiques du château de Saché, mélancolique séjour plein d'harmonies, trop graves pour les gens superficiels, chères aux poètes dont l'âme est endolorie". Et Dieu sait les tourments de ***Balzac***. "Aussi en aimai-je le silence, les grands arbres chenus et je ne sais quoi de mystérieux épandu dans son vallon solitaire". Et, par bonheur, les bois, forêts, chemins et parcs autour de Saché sont restés pratiquement identiques à ceux que côtoyait ***Honoré de Balzac***. "Là se découvre une vallée qui commence à Montbazon, finit à la Loire, et semble bondir sous les châteaux posés sur ces doubles collines ; une magnifique coupe d'émeraude au fond

Le site de l'inspiration balzacienne

C'est à l'ombre de ces chênes centenaires que le plus grand romancier français conçut une importante partie de son œuvre. Le cadre et ses hôtes de Saché servirent souvent de modèle à Balzac. La chambre que Monsieur de Margonne lui réservait a conservé le papier peint décrit comme celui de la pension Vauquer. Entre son lit, une tablette sur les genoux et la table sur laquelle reposait la fameuse cafetière, l'écrivain pouvait travailler entre douze et quatorze heures de suite. On retrouve dans le Père Grandet de nombreux traits de Monsieur de Margonne.

de laquelle l'Indre se roule par des mouvements de serpent. A cet aspect, je fus saisi d'un étonnement voluptueux que l'ennui des landes ou la fatigue du chemin avait préparé. Si cette femme, la fleur de son sexe, habite un lieu dans ce monde, ce lieu le voici". Tel est l'état d'esprit du jeune ***Félix de Vandenesse*** lorsqu'il aborde la vallée de l'Indre, où habite ***Madame de Mortsauf***.

SAUMUR

Si Vienne est mondialement connue pour son Ritterschule, Saumur l'est pour son Ecole de Cavalerie qui forme toujours les officiers de l'Arme blindée et de la Cavalerie. Saumur défend sa réputation de capitale du cheval depuis 1763, date à laquelle ***Choiseul*** décida d'y installer le régiment des carabiniers de ***Monsieur***, frère du roi. Saumur se distingue si bien que tous les régiments de France y délèguent officiers et sous officiers. Toutes les autres écoles dissoutes, Saumur devient, de fait, l'Ecole d'application de la Cavalerie.

Après la tourmente révolutionnaire et les guerres de l'Empire, l'Ecole Royale de Cavalerie est complètement réorganisée en 1825 par le maréchal de camp ***Oudinot***. Un manège d'écuyers civils ou militaires est constitué ; c'est l'ancêtre du Cadre Noir. En 1828 est donné un premier carrousel en l'honneur de la ***duchesse de Berry***. Son succès fut tel que la tradition est restée vivante. En 1972 se crée l'Ecole Nationale d'Equitation dont le Cadre Noir fait partie. C'est elle qui forme les cadres de l'équitation sportive.

La cité de Saumur est dominée par une forteresse encore très blanche dont les tours coiffées de toitures en poivrière, les baies, le donjon semblent échappés d'une miniature du XVe siècle. Les restaurateurs du siècle dernier se sont fidèlement inspirés de l'image que donnent du château les *Très Riches Heures du duc de Berry*.

La ville actuelle est née vers l'an 600. Elle prend alors le nom de Mur, parce que ses maisons, telles qu'on en voit beaucoup encore, étaient pratiquées dans les roches escarpées qui avaient l'air d'un mur. ***Pépin le Bref*** édifie le premier château de Saumur en 747. Au XIe siècle, ***Foulques Nerra*** fut tenté par Saumur qui relevait des ***comtes de Blois. Eudes Ier***, deuxième ***comte de Blois***, éleva de nouvelles fortifications autour d'une espèce de faubourg de l'église Saint-Jean qui avait pris, en langage vulgaire, le nom que lui donnait sa position, celui de Salmeur, c'est-à-dire sous le mur. Cette nouvelle enceinte fut solidement construite, flanquée de grosses tours rondes dont certaines subsistent aujourd'hui. Saumur appartint aux ***Plantagenêts*** et entra dans le domaine royal en 1204, sous ***Philippe Auguste***. C'est sur une forteresse édifiée sous la minorité de ***saint Louis*** que prend appui le logis de plaisance construit au XIVe siècle par ***Louis Ier d'Anjou***, frère de ***Charles V***, surnommé le Sage. ***Louis d'Anjou*** agrémenta la forteresse de larges baies à meneaux, lucarnes ouvragées, créneaux fleurdelisés, clochetons, girouettes dorées.

Au XVe siècle, le bon ***roi René***, alors qu'il était ***duc d'Anjou***, ranima les traditions équestres. Il composa un *Traité de la forme et Devis d'un tournoi*. En 1446, il donna à Saumur une fête militaire sous le nom d'*Emprise de la gueule du dragon* en l'honneur des dames. Le ***roi René***, qui affectionnait beaucoup Saumur, fit bâtir pour sa mère, dans le faubourg des Ponts, un palais que l'on montre encore sous le nom de château de la Reine de Sicile. On voit encore sur la façade l'écu avec la décoration de l'Ordre des Chevaliers du Croissant, qui fut fondé par ce prince en 1448. A sa mort, ***Louis XI*** fit saisir le domaine et le transforma en forteresse.

A la fin du XVIe siècle, Saumur, grand foyer intellectuel, devint une place de sûreté protestante et son château fut fortifié par des remparts en étoile en 1590 ; la ville devint une place de sûreté protestante. Les tenants de la Réforme y installèrent leur célèbre "Académie Protestante" qui fut animée par le gouverneur ***Duplessis-Mornay***. La Révocation de l'Edit de Nantes, en 1685, porta un coup fatal à la cité. La forteresse fut alors essentiellement utilisée comme prison. ***Fouquet*** y fut un moment incarcéré.

En 1810, ***Napoléon*** transforma la forteresse en prison d'Etat. Par la suite, elle servit de caserne et d'arsenal militaire. Réhabilité au début du siècle, le château abrite aujourd'hui le musée municipal qui présente des collections aussi riches que diverses.

Un passionnant musée dans une silhouette légendaire

Le château du roi René est devenu un musée. L'ancien appartement des ducs d'Anjou abrite aujourd'hui des pièces rarissimes léguées par le comte Lair : toutes les grandes manufactures françaises de faïence et de porcelaine sont représentées. On peut également admirer des émaux, des sculptures sur bois ou polychromes, des tapisseries, etc. Une section cheval expose de magnifiques collections qui retracent l'histoire de l'équitation et du harnachement du cheval de selle depuis l'Antiquité jusqu'à l'époque actuelle dans divers pays du monde. Parmi les plus belles pièces, il faut noter une tapisserie de Bruxelles du XVIIe siècle et un ensemble de harnachements d'Amérique du Nord et du Sud.

SERRANT

Serrant marque, à l'ouest, la limite du circuit des châteaux de la Loire, alors que Valençay se situe au sud-est de ce même circuit et ces deux châteaux possèdent plusieurs points communs. Tous deux présentent des dimensions imposantes, d'impressionnantes tours rondes couronnées de dômes, et une vie politique et mondaine active sous l'Empire comme sous la Restauration. Malgré leur unité architecturale, leur construction s'étale sur trois siècles, mais Serrant est plus sobre que Valençay.

A l'origine, cependant, l'histoire de Serrant connut quelques turbulences. A la fin du XVe siècle, ***Ponthus de Brie***, chambellan de ***Louis XI***, obtient l'autorisation de remplacer le manoir familial par une forteresse ou "tout le nouvel chasteau, garny de boullevais, ponts levans, dormans, tournans, mines et contremines". Mais ce n'est qu'à partir de 1546 que ***Charles de Brie*** entreprend la construction du Serrant que nous admirons aujourd'hui. Il ne verra pas l'achèvement de "son" château, car, hélas, il voit trop grand et meurt ruiné et couvert de dettes. Il a cependant fait élever l'angle nord du château, la tour d'angle et les premières travées de l'aile gauche, suivant, sans doute, les plans de ***Philibert Delorme***. Encore ne s'agit-il que du rez-de-chaussée et du premier étage.

A sa mort, le château est vendu aux enchères. Il appartiendra successivement à ***Scipion Sardini, Hercule de Rohan***, et à ***Guillaume Bautru*** qui l'achète en 1636. Ce proche de ***Richelieu***, puis de ***Mazarin***, habile diplomate, membre de l'Académie française dès sa fondation, est bien décidé à terminer Serrant. Il y réussit, car en 1661, il peut faire les honneurs de son château au jeune ***Louis XIV*** tombé en panne de carrosse à quelques lieues de là. ***Bautru*** a fait construire l'étage supérieur du logis principal, la tour sud et une partie de l'aile sud. ***Louis XIV*** devait indirectement marquer l'histoire artistique de Serrant, hélas à la rubrique funéraire. L'héritier de ***Guillaume, Nicolas***, son neveu, lieutenant général des armées du ***Roi-Soleil*** et ***marquis de Vaubrun***, mourut au siège d'Altenheim. Sa femme – et nièce – fit élever à l'époux tant regretté un magnifique tombeau qui est l'œuvre de ***Coysevox***. La chapelle bâtie sur les plans d'***Hardouin-Mansart*** abrite l'un des chefs-d'œuvre de l'art funéraire français. La face principale du sarcophage représente, sur un bas-relief de plomb doré, la bataille d'Altenheim ; sur le tombeau, les époux, plus grands que nature, se font face, le marquis représenté assis à la romaine, à demi-dénudé, la femme pleure ; du ciel descend une élégante victoire ailée portant d'une main une couronne et de l'autre un trophée.

Une construction géométrique

Malgré son édification étalée sur trois siècles, Serrant présente une unité architecturale remarquable : trois corps de logis rectangulaires – dont le principal est ponctué de deux impressionnantes tours rondes – encadrent une cour fermée par un portail monumental. Tout autour, les larges douves, dans l'eau desquelles se reflètent les façades du château, confèrent une note de charme à cette puissante construction.

Mais l'histoire de Serrant ne s'arrêta pas au deuil qui anéantit la marquise. En 1705, les deux ailes furent prolongées et achevées. En 1749, sa fille, la ***duchesse d'Estrées***, vendit le château à un noble irlandais, proche des ***Stuart***, dont la famille s'était établie à Nantes depuis la révolution anglaise.

En 1755, ***François-Jacques Walsh*** fut fait ***comte de Serrant***. Il fit beaucoup d'aménagements intérieurs. Son fils fut proche de l'Empereur et sa belle-fille fut dame d'honneur de ***Joséphine***. En 1808, ***Napoléon*** s'arrêta à Serrant, quelques heures seulement car le cortège impérial avait été retardé. En 1828, les murs de Serrant – qui venait d'être restauré – retentirent joyeusement des festivités données à l'occasion de la venue de la ***duchesse de Berry***.

Serrant fut encore restauré à la fin du XIXe siècle ; les travaux furent dirigés par l'architecte ***Magne***. Il était alors la propriété du ***duc de La Trémoille*** dont Serrant conserve à présent d'importants souvenirs artistiques et historiques. Ce château, habité depuis sa construction, possède un mobilier d'une richesse exceptionnelle.

Pages suivantes
La chambre de la princesse de Tarente
Les appartements du premier étage de Serrant sont décorés de magnifiques plafonds à caissons. Ici, la chambre de la femme du fils aîné du duc de la Trémoille, la princesse de Tarente.

SULLY

Le nom de ***Sully*** évoque l'un des personnages les plus connus de l'Histoire de France, mais sait-on qu'il est, au départ, celui d'une baronnie et de son château et qu'il y eut au cours des siècles de nombreux ***sires de Sully*** qui servirent l'Etat, que le premier des ***Sully*** connus, l'évêque ***Maurice de Sully***, était le fils d'un berger du village de Sully, tandis que son successeur à l'évêché de Paris fut ***Eudes de Sully***, baron de Sully et que le plus connu des ***Sully, Maximilien de Béthune***, baron de Rosny, ne devint ***duc de Sully*** qu'en 1606, à l'âge de quarante-six ans ?

Le château de Sully avait une histoire, le site remontait aux Romains. Il y eut d'abord, planté au croisement de deux voies romaines, un castrum sur les ruines duquel les Mérovingiens installèrent un premier manoir. En 752, le château de Sully entre dans l'Histoire de France : le fils de ***Charles Martel, Pépin le Bref***, qui vient d'être proclamé roi des Francs à Soissons, s'y établit avec sa cour. Sa femme, ***Berthe***, que la légende a pourvue de grands pieds, y séjourne à plusieurs reprises et son fils, ***Charles***, devenu ***Charlemagne***, viendra souvent chasser et prier dans la région.

A l'époque de ***Charles le Chauve***, Sully dépend du comté non héréditaire d'Orléans. Puis Sully connaîtra les invasions normandes et il est possible que les premiers ***sires de Sully*** aient été des pilleurs d'église d'origine normande. A la fin du IXe siècle, la baronnie de Sully appartient à ***Ercenaud*** qui pille régulièrement l'abbaye de Saint-Benoît-sur-Loire, comme son fils aîné, alors que son fils cadet devient ***abbé de Fleury***. L'acte de 987 par lequel ***Hugues Capet*** qui, parmi ses nombreux titres, est ***comte d'Orléans***, devient roi de France, rapproche Sully du roi et du pouvoir. Le premier grand ***Sully*** dans l'Histoire de France est ***Henri V*** qui partit à la cour de ***Philippe le Bel***, puis de ***Philippe V***. Son fils, ***Jean II***, suivra le roi, comme son petit-fils ***Louis***, qui reconstruira le château. En 1382, sa fille, ***Marie***, épouse ***Guy de La Trémoille*** qui rachète, en 1383, à l'évêché d'Orléans la terre de Sully saisie pour "**faute d'homme**". C'est à ***Guy le Vaillant*** que les ***La Trémoille*** doivent leur immense fortune. Un de leurs fils, ***Georges***, devient ***sire de Sully*** ; il est chambellan du ***duc de Bourgogne, Jean sans Peur***, avant d'être grand Chambellan de France. Son fils, ***Louis I***[er], prête Sully à ***Louis XI; Louis II*** servira ***Louis XI, Charles VIII, Louis XII*** et ***François I***[er] ; il meurt à Pavie où son petit-fils ***François*** est emprisonné, mais rachète sa liberté. En 1586, ***Charles de La Trémoille*** se convertit au protestantisme, rejoint son beau-père ***Condé*** et sert ***Henri de Navarre***. Les troupes de ***Henri III*** entrent de force à Sully. L'édit de Nantes fera de Sully une des places de

Un remarquable témoin de l'architecture du XIVe siècle

L'histoire de Sully est très ancienne mais c'est à Maximilien de Béthune que ce château doit sa renommée. Le "fidèle Sully" est connu pour ses liens avec Henri IV, comme pour son célèbre adage : "Labourage et pastourage sont les deux mamelles de la France". C'est dans la tour de l'Imprimerie qu'il fit tirer les premiers volumes de ses célèbres "Oeconomies royales". Grand maître de l'Artillerie, il a fait construire une tour dite "de l'Artillerie" : il s'agit d'une tour rasante destinée à abriter les canons. Il tenait compte du nouveau système de défense nécessité par l'apparition de l'artillerie.

sûreté accordée par ***Henri IV*** aux protestants. ***Henri de Navarre***, devenu ***Henri IV***, voulut récompenser son fidèle compagnon, ***Maximilien de Béthune*** : il le fit duc et pair de France, en 1606. Pour cela, il lui fallait un château qui convenait à ces titres ; le château de Sully, propriété de ***Claude de La Trémoille***, fils du ***baron de Sully***, mais déjà ***duc de Thouars***, fit parfaitement l'affaire. ***La Trémoille*** vendit son château sans hésiter.

Sully mourut trente ans après ***Henri IV***. Neuf ***ducs de Sully*** lui succéderont. ***Voltaire***, en exil, séjourna à deux reprises au château de Sully. Il y écrivit sa tragédie *Oedipe*, en 1718. Le dernier ***duc de Sully*** meurt sous l'Empire, et Sully passe aux ***Béthune-Sully*** qui, au XIXe siècle, y mènent une vie peu troublée par les changements de régime. La chasse tient une place importante. ***Mac Mahon***, à la retraite, viendra souvent chasser à Sully, en voisin, et sa présence entraîne des réceptions brillantes. Le château, classé monument historique en 1928, fut l'un des premiers ouverts au public. En 1939, il reçut la visite de 30 000 touristes. Il souffrit beaucoup de la Deuxième Guerre mondiale. Depuis 1962, il est la propriété du département du Loiret.

TALCY

Un conseiller au Parlement devenu évêque, des financiers italiens, ***Ronsard, Cassandre, Agrippa d'Aubigné, Diane, Charles IX, Catherine de Médicis, Condé***, le roi de Navarre, le confesseur de ***Madame de Maintenon***, le général ***Chanzy***... S'ils pouvaient parler, les murs de Talcy raconteraient des pages variées, connues ou discrètes de l'Histoire de France.

L'histoire de Talcy commence véritablement en 1517, lorsqu'un Florentin, d'une famille de marchands et de banquiers, achète la terre de Talcy à ***Marie Sanguin***, héritière du domaine que lui a légué son frère ***Jean Simon***, conseiller au Parlement puis évêque de Paris. L'acquéreur est ***Bernard Salviati***, parent des ***Médicis*** et proche de ***François Ier***.

Fait étrange, alors que l'italianisme connaît une ascension fulgurante sur les rives de la Loire et aux alentours, cette demeure reconstruite par un Italien va être typiquement française et s'avérer un peu austère. ***Bernard Salviati*** obtient l'autorisation de la garnir de "murs, tours, meneaux, barbacanes et autres choses défensables...", c'est-à-dire de tous les éléments constitutifs du château médiéval, ce qui n'est plus alors à la mode et n'a plus véritablement d'utilité. Certains expliquent cet appareil guerrier comme un emprunt à l'aristocratie.

Bernard Salviati a plusieurs enfants, dont la belle ***Cassandre*** qui inspirera à ***Ronsard*** son premier amour et de superbes poèmes. La mignonne de "Mignonne, allons voir si la rose..." est ***Cassandre Salviati***. L'histoire se plaît parfois à se répéter: ***Cassandre*** a un frère, ***Jean***, qui hérite du domaine. Ce ***Jean*** a une fille, ***Diane***. Un autre poète, ***Agrippa d'Aubigné***, s'éprendra de la jeune fille et lui consacrera son premier recueil de poèmes, *Le Printemps*. Pour en finir avec la poésie à Talcy, la fille de ***Cassandre*** épousera ***Guillaume de Musset***, ascendant en droite ligne d'***Alfred*** qui, lui, sera plus inspiré par l'Italie.

Mais les chroniques de Talcy ne sont pas faites que d'amour et de poésie, et l'on pense que c'est dans la cuisine, dont le décor a peu changé, qu'***Ambroise Paré*** trépana ***Agrippa d'Aubigné***, victime des très nombreux combats de rue des guerres de Religion. Et ce sont justement les guerres de Religion qui ont conféré à Talcy une aura royale pour avoir reçu le souverain ***Charles IX***, sa mère ***Catherine de Médicis***, le roi de Navarre et ***Condé*** lors de l'entrevue baptisée "conférence de Talcy", en 1562. Il s'agissait de trouver un terrain d'entente dans les querelles entre les protestants et les catholiques, ce que l'on appelle le début d'un "processus de paix": ce fut un échec. Avec beaucoup de courtoisie, les représentants des catholiques et des réformés ne purent s'accorder.

La chambre de Charles IX

Ces tentures en point de Hongrie sont une des fiertés de Talcy. Elles ornent la chambre dite de "Charles IX", l'autre chambre célèbre étant celle dite de "Catherine de Médicis". Ces deux appellations font référence à l'entrevue de 1562. Le mobilier de Talcy est le plus authentique des châteaux de la Loire. De nombreux meubles n'ont pas changé depuis l'époque de Louis XIV.

Le frère de ***Diane***, héritier de Talcy, épousa la fille d'un autre Italien célèbre sur les bords de la Loire, ***Scipion Sardini***, qui était également propriétaire du château de Chaumont et d'un hôtel à Blois. Puis, en 1870, il y eut un autre hôte célèbre, le général ***Chanzy*** ; il commandait alors la IIe armée de la Loire, lors de la guerre franco-prussienne.

Aujourd'hui, Talcy a conservé son visage renaissant, un peu faussement médiéval tardif, et s'enorgueillit avec raison du plus ancien et du plus authentique mobilier du Val de Loire.

Dans la première cour, le délicieux puits à dôme et une galerie à plafonds de poutres, soutenue par quatre arcades en anse de panier, confèrent un charme unique à cette demeure sobre.

Dans la seconde cour, les communs sont restés intacts : on y admire un colombier du XVIe siècle et un pressoir encore en état de marche. Talcy possède également un jardin et un ancien potager.

Le château a conservé un donjon carré, bâti en pierre et en brique, flanqué de deux tourelles d'angle reliées par une ceinture de mâchicoulis. Ce donjon fut peut-être construit avec des éléments antérieurs au XVIe siècle et il présente un style médiéval.

USSÉ

Le merveilleux château blanc qui inspira, dit-on, ***Charles Perrault*** pour sa Belle au bois dormant, est construit sur un site assez ancien, mais dont on sait peu de chose. Des chroniques du VIe siècle mentionnent son existence, puis au XIe siècle, il appartint à un Danois, ***Gelduin Ier***, en qui ***Foulques Nerra*** trouva un ennemi à sa mesure. Les populations locales le surnommèrent le "diable de Saumur".

Ussé réapparaît dans l'histoire à la fin du XVe siècle, lorsque ***Jean de Bueil***, qui appartenait à une vieille famille de la Touraine et qui avait été le compagnon de ***Jeanne d'Arc***, entreprit la construction de la forteresse. Il fait élever le donjon vers 1480. En 1482, son fils, ***Antoine de Bueil***, vend le domaine à ***Jacques d'Espinay***, chambellan de ***Louis XI***, avant d'être celui de ***Charles VIII***. Il poursuit les constructions entreprises par ***Jean de Bueil*** que son fils ***Charles*** achèvera. En 1535, Ussé est terminé.

C'est à ***Jacques d'Espinay*** que l'on doit ce merveilleux témoin de la première Renaissance française où pignons, tours aux aiguilles élancées, hautes cheminées se mêlent avec tant d'élégance aux murs élevés, aux mâchicoulis et à tout l'appareil défensif des derniers temps de la féodalité.

Charles d'Espinay, par fidélité à son père qui voulait fonder une collégiale, fit construire, à l'écart dans le parc, la délicieuse petite chapelle Renaissance que nous admirons encore aujourd'hui. Les initiales "C" et "L" ciselées en de nombreux endroits sont celles de ***Charles*** et de sa femme, ***Lucrèce de Pons***. Cette chapelle fut construite de 1520 à 1538. La façade présente un bel arc triomphal qui encadre un portant mi-gothique, mi-italien, divisé en deux étages : la partie haute est dominée par un gâble gothique et percée d'une fenêtre à deux baies, la partie basse est décorée de coquilles, motif typique de la Renaissance. L'intérieur est composé d'une nef à quatre travées et de deux chapelles latérales ; on y admire, dans le chœur, une magnifique clef pendante. Cette petite chapelle possède une décoration d'une richesse étonnante, notamment la porte Renaissance de la sacristie, de superbes stalles du XVIe siècle et une Vierge en faïence de ***Lucca della Robia***.

En 1557, ***René d'Espinay*** vendit le château à ***Suzanne de Bourbon***, veuve du ***comte d'Harcourt***.

Ussé devait connaître de nombreux propriétaires. A la fin du XVIIIe siècle, il fut acheté par le contrôleur général de la cour du roi, ***Louis Bernin de Valentinay*** dont le fils épousa, en 1691, la fille de ***Vauban***.

Un château de légende

Ussé est un château charnière qui se veut demeure de plaisance, mais qui n'oublie pas les récentes époques de troubles. Les tours évoquent celles de Langeais, construit tardivement comme château défensif. A l'intérieur de la cour d'honneur, les trois façades (la quatrième a été percée au XVIIIe siècle pour dégager la vue sur les terrasses, comme à Chaumont) évoquent le style des châteaux de plaisance à l'époque de transition entre Charles VIII et François Ier : les fenêtres à lucarnes s'ornent de frontons ouvragés.

En 1692, Ussé devenait un marquisat, mais il perdit ce titre et le retrouva en 1701. La fille de ***Vauban*** n'avait que quatorze ans lorsqu'elle se maria et elle mourut à trente-cinq ans; son fils, ami de ***Voltaire***, invita l'écrivain à Ussé.

Les ***Valentinay*** conservèrent le château jusqu'en 1780. En 1807, Ussé devint la propriété du ***duc de Duras***. La ***duchesse de Duras*** voua à ***Chateaubriand*** une amitié passionnée et l'écrivain, dévoré d'ambitions politiques, harcela sans scrupule sa bienfaitrice dont le mari fut premier gentilhomme de ***Louis XVI, Louis XVIII*** et ***Charles X***.

En 1885, la famille ***de Blacas*** hérita d'Ussé et ses descendants l'habitent toujours. Aujourd'hui, le ***marquis de Blacas*** s'emploie à la restauration de ce château à l'étonnante toiture.

VALENÇAY

Un palais enchanté

Déjà, en 1653, Valençay apparaissait comme un lieu enchanteur aux membres de la famille royale, pourtant difficile à éblouir. Suivons, vers Valençay, la turbulente nièce de Louis XIII, fille de Gaston d'Orléans, que l'Histoire stigmatisa sous le nom de la Grande Mademoiselle et qui fut célèbre pour ses déclarations enflammées à l'inquiétant Lauzun, qui découvre avec ravissement le château dont Villemorien n'a pas encore modifié l'architecture : "J'y arrivai aux flambeaux, je crus arriver dans une demeure enchantée. Il y a un corps de logis le plus beau et le plus magnifique du monde ; le degré y est très beau et l'on y arrive par une galerie à arcades qui a du magnifique...".

Pages suivantes

Le grand salon

Le prestigieux salon de Talleyrand évoque les fastes de l'Empire sur les bords de la Loire. Les 26 sièges, tous différents, décorés de feuillages ramassés dans le parc, illustrent parfaitement une rare conjonction de "bonnes manières" : ils furent brodés, au point de Saint-Cyr, par les dames de la Cour d'Espagne en exil doré à Valençay. Les lustres imposants en cristal de Bohème éclairent un magnifique mobilier Empire qui repose sur de somptueux tapis de la Savonnerie. C'est dans ce cadre prestigieux que Talleyrand, en fonction ou en exil, reçut, avec Carême pour cuisinier, de très nombreux et éclectiques hôtes de marque dont, à la fin de sa vie, Thiers, Balzac, Decazes, le duc d'Orléans, George Sand...

Valençay est un imposant château Renaissance tardif et sa grande époque est relativement récente, elle ne remonte qu'au XIXe siècle : ***Charles-Maurice de Talleyrand-Périgord***, prince de Bénévent, en était l'illustre propriétaire. Mais avant d'arriver à l'époque où le plus contesté et le plus incontournable des Français jouait les châtelains fastueux et persifleurs, les murs de Valençay avaient déjà ébloui. La prospérité de Valençay est, depuis la Renaissance, indissociable de celle des grands serviteurs de l'Etat et, en particulier, des financiers. Le nom de Valençay remonte au XIIIe siècle, mais c'est à la famille ***d'Estampes*** que l'on doit les fondations du château actuel. Au XVe siècle, ***Robert d'Estampes***, chambellan de ***Charles VII***, achète la terre de Valençay aux ***Chalon-Tonnerre*** qui, eux-mêmes, la tenaient de la maison de Bourgogne, la situation géographique de Valençay, au sud-est du circuit des châteaux de la Loire explique cette appartenance.

Le descendant de ***Robert***, ***Jacques d'Estampes***, épouse la fille d'un riche financier, ***Jeanne Bernard d'Estiau*** et entreprend la construction du château en s'inspirant de celui de Veuil, très proche, qui est l'œuvre de son oncle maternel ***Jean Hurault*** ; il en augmente considérablement les proportions. Le château est constitué d'un donjon flanqué de deux ailes légèrement en retrait, l'aile gauche n'a qu'un rez-de-chaussée, l'aile droite un étage. Le donjon est assez caractéristique de cette époque encore marquée par les symptômes de la féodalité : ses quatre angles sont ponctués de fines tourelles et le tout est surmonté de mâchicoulis purement décoratifs. Les élégantes cheminées et lucarnes du toit appartiennent, elles, à leur époque, la Renaissance.

Au milieu du XVIIe siècle, le château fut agrandi, au sud, par ***Dominique d'Estampes*** qui fit construire une aile classique, de style ionique. Qu'aurait fait ***John Law*** s'il avait réussi à faire l'acquisition complète de Valençay ? Cet étrange financier ne fut jamais propriétaire du domaine car le roi annula la vente à la suite de sa banqueroute. Sous ***Louis XVI***, le fermier général

Charles Legendre de Villemorien repensa l'architecture du château. Il construisit la tour sud, dite Tour Neuve, et agrémenta l'intérieur de l'aile en équerre d'un fier alignement de pilastres soutenant une corniche sur laquelle foisonnent vases et lucarnes. La Révolution malmena les fermiers généraux.

En 1803, ***Bonaparte*** aida son ministre des Affaires étrangères à acquérir Valençay : il pourrait ainsi dignement recevoir ses hôtes étrangers. L'aura de la

pagode de Chanteloup planait. Mais le nouveau propriétaire des lieux n'était pas vraiment maître chez lui : de 1808 à 1814, ***Napoléon*** lui imposa la garde des ***Bourbons*** d'Espagne, dépossédés par lui de leur trône. Les infants découvrirent avec joie une liberté inconnue à Madrid, mais la bibliothèque les intéressa peu. En 1813, le traité de Valençay leur rendait leur trône ; en quittant cette geôle dorée, ils emportèrent un tableau de leur ancêtre ***Louis XIV***. L'Empire s'effondra ; les ***Bourbons*** revinrent et ***Talleyrand*** s'installa l'été à Valençay et l'hiver à Paris. Les salons de Valençay, somptueusement décorés, brillèrent de l'esprit caustique du maître des lieux et de ses hôtes. Valençay fut un haut lieu de la politique française. ***Talleyrand*** s'intéressa aux jardins : il transforma les fossés en jardins et aménagea le Jardin de la Duchesse, très beau jardin à la française relié à la cour d'honneur par un escalier monumental et terminé au sud par une terrasse dominant le Nahon.

VILLANDRY

Villandry est un pur produit de la Renaissance, mais ce sont surtout ses fameux jardins admirablement reconstitués par le docteur ***Joachim Carvallo*** au début du XXe siècle qui constituent sa fierté et sa renommée internationale. Au départ, il y a un château fort, Colombiers, où, le 4 juillet 1189, ***Philippe Auguste*** fait reconnaître sa défaite, dans un traité, à l'irréductible ***Henri II Plantagenêt*** : c'est "la Paix de Colombiers". Au XIVe siècle, la forteresse est reconstruite : le donjon carré enchâssé dans l'aile occidentale témoigne encore de cette époque.

En 1532, ***Jean Le Breton***, secrétaire d'Etat de ***François Ier***, fait édifier le château de plaisance que nous voyons aujourd'hui ; il s'est inspiré du modèle alors en vogue, Ecouen. C'est un élégant bâtiment régulier construit en fer à cheval autour d'une remarquable cour d'honneur. On y accède par un pont enjambant de larges douves. Les façades présentent une riche décoration : pilastres, fenêtres à meneaux, toits agrémentés de grandes lucarnes ; toutes les ouvertures sont pourvues d'une riche ornementation. En 1619, Colombiers devient un marquisat et, en 1639, une lettre patente accorde à ***Balthazar Le Breton*** le titre de seigneur de Villandry. Ses armoiries figurent sur le gâble des lucarnes.

Au XVIIIe siècle, le ***marquis de Castellane*** hérite du château et il décide de faire de Villandry une demeure de son époque. Les douves deviennent des terrasses, les galeries à portiques du rez-de-chaussée sont murées, les fenêtres à meneaux et les lucarnes transférées et, surtout, le jardin à la française devient un jardin à l'anglaise, suivant la mode du retour à la nature prôné par ***Jean-Jacques Rousseau***.

En 1906, ***Joachim Carvallo***, né en Espagne en 1869, achète Villandry. Il abandonne une brillante carrière scientifique pour se consacrer à Villandry sur le point d'être démoli. Il fait le pari de restituer au domaine son élégance de la Renaissance.

Pour la restauration des jardins, il s'inspire des plans d'***Androuet du Cerceau***. Les vallonnements artificiels sont supprimés, les jardins réinstallés sur trois niveaux : un premier niveau est centré sur une importante pièce d'eau, un second est planté d'ifs et de hauts buis élégamment taillés en mosaïque et le troisième devient un merveilleux potager où les légumes

Des jardins uniques au monde

Le survol des 7 hectares de Villandry permet de réaliser l'importance de ses jardins dont, au sol, on admire la qualité exceptionnelle sur trois niveaux : le potager, les jardins d'ornement, et le jardin d'eau. Villandry offre le spectacle féerique d'une nature maîtrisée comme un art, et la parfaite géométrie des plantations n'exclut ni le chatoiement des couleurs ni la variété des plans qui sont renouvelés au printemps et en été.

Pages suivantes

Un plafond "mudejar"

Le docteur Carvallo a admirablement redressé un château de la Renaissance française mais si, comme nous venons de le voir à Valençay, Talleyrand a prouvé que la vie des châteaux de la Loire ne s'était pas arrêtée dans le temps, lui-même a fait une autre démonstration, celle du côté international des œuvres d'art. Dans Villandry restauré, une superbe salle à manger Louis XV trouve aussi bien sa place que ce plafond hispano-mauresque dont on admire les caissons peints et dorés du XIIIe siècle.

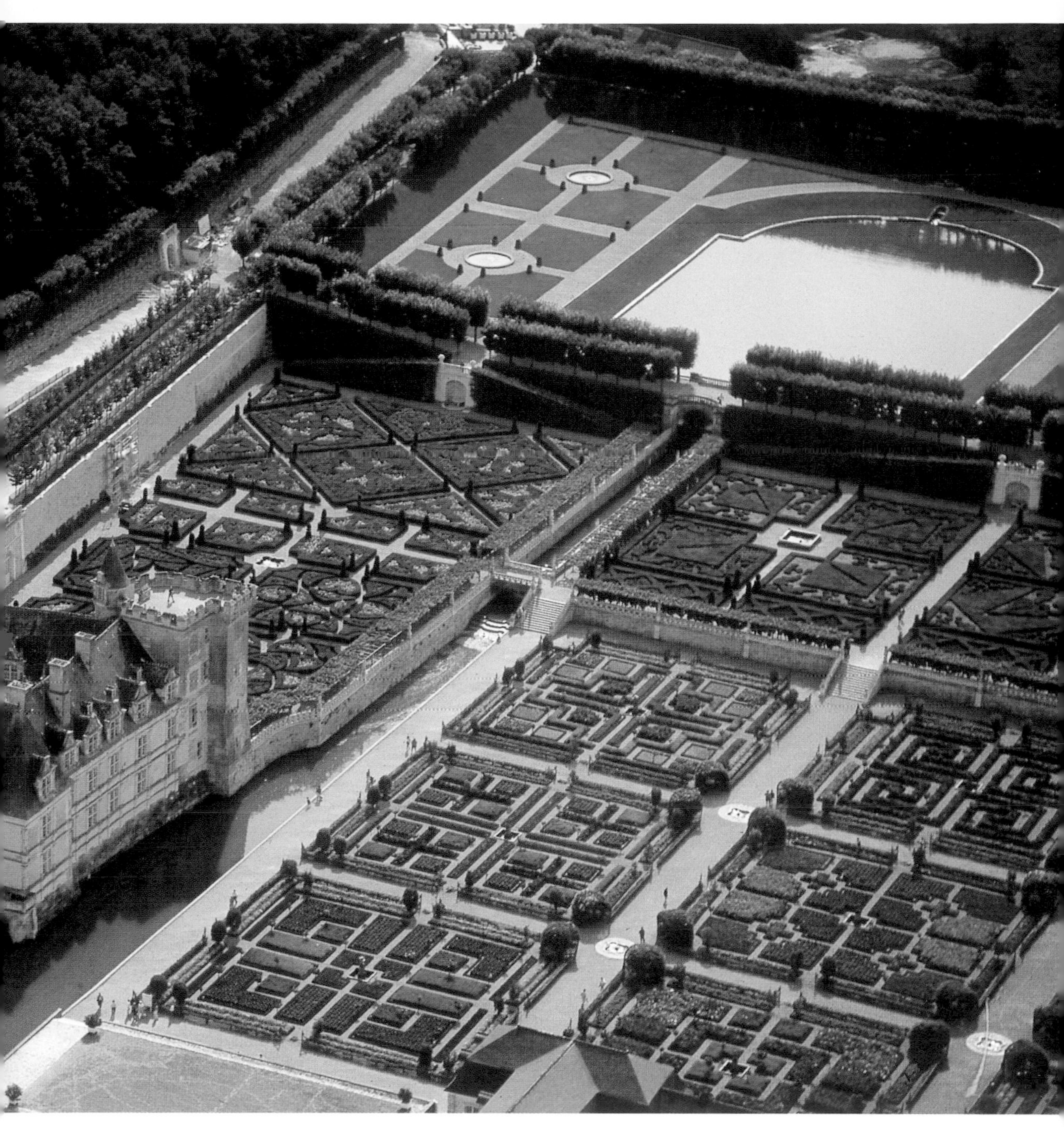

les plus variés composent une splendide symphonie de couleurs. Sur le bâtiment lui-même, il rétablit les fenêtres à meneaux, la galerie du rez-de-chaussée et l'ornementation des lucarnes, tout autour, les douves sont remises en état. L'intérieur devient une passionnante galerie d'œuvres d'art, à forte influence espagnole : ainsi, un plafond et des meubles mudejar, des tableaux d'école du ***Greco***, de ***Goya, Ribera, Velázquez, Zurbarán***. On remarque également de très pures sculptures en bois d'***Alonso Cano***.

VILLESAVIN

La Cour d'honneur

La fierté de Villesavin est la magnifique vasque en marbre de Carrare qui occupe le centre de la Cour d'honneur. Cette cour, qui forme un parfait quadrilatère, est fermée au sud par le long corps de logis seigneurial, dont la façade sud s'ouvre sur un très grand parc. Les deux corps de logis qui s'avancent

Villesavin: Villa Savinus. Ce patronyme évoque l'époque des Romains. Ils avaient aménagé dans la région un efficace réseau de communications pour gagner la Grande-Bretagne, via Chartres. Et les légionnaires de ***César*** avaient été récompensés par l'attribution de "villa", domaines plus ou moins vastes qu'ils devaient défricher, constituer, exploiter et faire fructifier. Le site renoue avec l'Histoire un millénaire plus tard lorsque, en 1315, le propriétaire des droits des bâtiments de chasse, au lieu-dit "Chambord", ***Guy de Châtillon***, premier du nom, fait l'acquisition de la seigneurie de Villesavin. Déjà, un lien est établi entre Chambord et Villesavin. Mais c'est à un fidèle compagnon de ***François Ier, Jean Le Breton***, que Villesavin doit son apparence actuelle. Et l'histoire de Villesavin suit en filigrane celle de Chambord. Ou plutôt, elle va la précéder.

Jean Le Breton, "gentilhomme aussi brave que sage et judicieux, capable de conseil comme de la guerre" revient d'Italie où il a suivi ***François Ier*** dans les geôles italiennes, après le désastre de Pavie, en 1525. Dès 1526, "Secrétaire des Finances du Roi et Administrateur du comté de Blois", il est chargé de la "conduite et des payements des importants travaux

de Chambord", que la guerre a interrompus depuis plus de deux ans. Mille huit cents artistes et ouvriers doivent y travailler. Pour surveiller le chantier royal, Villesavin lui paraît un emplacement idéal. Dès la fin de 1526, il en fait l'acquisition et devient "Seigneur de Villesavin, Colombiers, Savonnières et Baron de Montdoucet". La construction de Villesavin dura dix ans, de 1527 à 1537. Artistes, ouvriers et matériaux furent les mêmes qu'à Chambord, où ***Le Breton*** les "testait", mais la probité de sa famille et l'amitié de ***François Ier*** interdisent les rumeurs malveillantes comme celles de détournements de fonds de Chambord au profit de Villesavin. A sa mort, sa femme, ***Anne Gédouin***, qui avait souvent dû remplacer son mari lors de ses déplacements en France ou en Italie, reçut de ***François Ier*** "la Conciergerie, charge et garde des chambres et meubles du château de Chambord". Puis ce fut le tour de sa fille, ***Léonor***, Dame d'honneur de ***Marguerite de France***. Ainsi, ***Anne*** et ***Léonor*** furent appelées "les Dames de Villesavin et de Chambord".

François Ier, Catherine de Médicis, Marie de Médicis, Louis XIII furent les hôtes royaux de Villesavin. Les héritiers et les propriétaires successifs de Villesavin furent souvent liés à la Cour et lieutenants ou capitaines des chasses de Chambord.

Villesavin est le premier édifice civil français construit "à plan centré" autour d'un escalier. Ce plan tombé en désuétude depuis ***Charlemagne*** fut remis à l'honneur par ***Bramante*** à Saint-Pierre de Rome et par ***Léonard de Vinci*** dans d'autres églises.

abritent, à l'ouest, la salle des Gardes et, à l'est, la chapelle aux murs décorés de très belles fresques d'origine. De délicieuses lucarnes à personnages animent la façade de la salle des Gardes. Villesavin possède également un magnifique colombier "à pied" et une très intéressante collection de voitures hippomobiles.

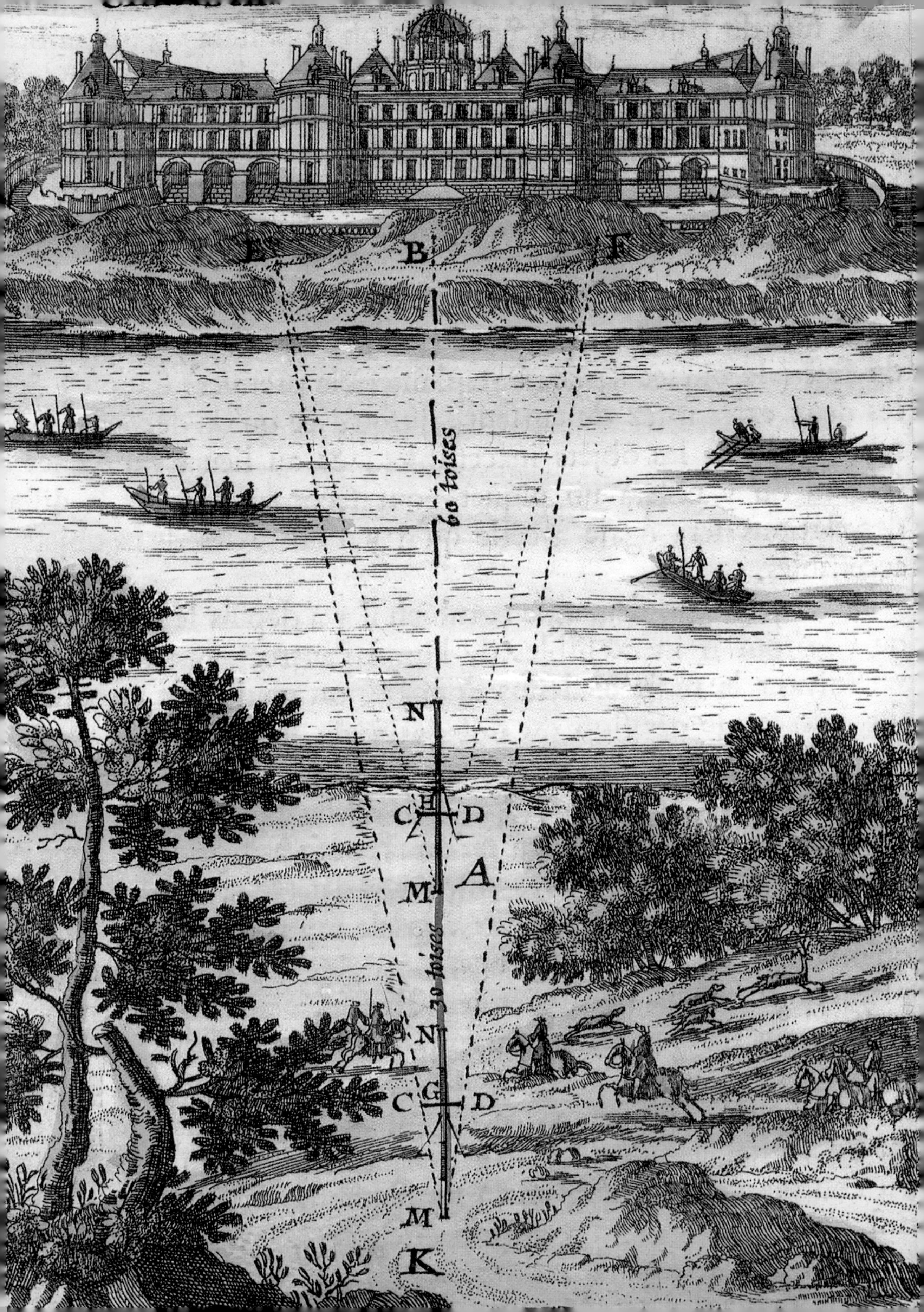
E
B
F
60 toises
N
C
H
D
A
M
30 toises
N
C
G
D
M
K

Charles d'ORLÉANS

1391-1465

Le Printemps

Le temps a laissé son manteau
De vent, de froidure et de pluie
Et s'est vêtu de broderie,
De soleil luisant, clair et beau.

Il n'y a bête ni oiseau
Qu'en son jargon ne chante ou crie :
Le temps [a laissé son manteau !]

Rivière, fontaine et ruisseau
Portent en livrée jolie,
Gouttes d'argent d'orfèvrerie,
Chacun s'habille de nouveau :
Le temps [a laissé son manteau !]

Rondeau

L'Hiver et l'Eté

Hiver, vous n'êtes qu'un vilain,
Eté est plaisant et gentil,
En témoin de Mai et Avril
Qui l'accompagnent soir et matin.

Eté revêt champs, bois et fleurs,
De sa livrée de verdure
Et de maintes autres couleurs,
Par l'ordonnance de Nature.

Mais vous, Hiver, trop êtes plein
De neige, vent, pluie et grésil ;
On vous dût bannir en exil.
Sans vous flatter, je parle plain,
Hiver, vous n'êtes qu'un vilain.

Chanson

François RABELAIS

1494(?)-1553

“Rompre l’os et sucer la substantifique moelle...”

Prologue de **Gargantua**,

“Ma délibération n’est de provoquer mais d’apaiser, d’assaillir mais de défendre, de conquêter mais de garder mes féaux sujets et terres héréditaires...”

La teneur des lettres
que Grandgousier escrivait à Gargantua
Gargantua, *ch. 29.*

“En leur règle n’était que cette clause : FAIS CE QUE VOUDRAS
Parce que gens libres... ont par nature un instinct et aiguillon qui toujours les pousse à faits vertueux et retire de vice, lequel ils nomment honneur...”

Comment était réglée la vie des Thélémites
Gargantua, *ch. 57.*

“Beaux bâtisseurs nouveaux de pierres mortes ne sont écrits en mon livre de vie. Je ne bâtis que **pierres vives**, ce **sont hommes.**”

Pourquoi les jeunes mariés
étaient dispensés d’aller à la guerre
Pantagruel, Le Tiers Livre, *ch. 6.*

“Les dieux ont été tous effrayés quand ils virent, par usage du Pantagruélion, les peuples Arctiques en plein aspect des Antarctiques, franchir la mer Atlantique, passer les deux tropiques, voler sous la zone torride, mesurer tout le zodiaque... avoir l’un et l’autre pôle en vue à fleur d’horizon.”

“Par ses enfants peut-être sera inventée... semblable énergie... moyennant laquelle pourront humains visiter les sources des grêles, les bondes des pluies et l’officine des foudres. Pourront envahir les régions de la lune, entrer le territoire des signes célestes et là prendre logis...”

Pourquoi l’herbe est dite Pantagruélion ;
et de ses admirables vertus
Le Tiers Livre, *ch. 51.*

“Une certaine gaieté d’esprit confite en mépris des choses fortuites.”

Prologue de l’auteur
Le Quart Livre

“Soyons heureux et buvons frais, bien que certains disent que ce n’est pas le meilleur moyen pour étancher la soif. Je le crois pourtant puisque les contraires sont guéris par les contraires.”

Pantagrueline Pronostication, *ch. 8.*

***Comment les Gargantuistes vainqueurs furent récompensés après la bataille (contre Picrochole),* Gargantua**, *ch. 51*

La harangue de Gargantua terminée, on livra les séditieux qu'il avait réclamés... Gargantua ne leur fit pas d'autre mal que les préposer à tirer les presses de son imprimerie récemment fondée... Ensuite, il s'inquiéta des torts causés à la ville et aux habitants, il les fit rembourser de tous leurs dommages sur la foi de leurs dires et de leur parole et il fit bâtir un puissant château qu'il pourvut de troupes et de sentinelles pour avoir à l'avenir une meilleure défense contre les émeutes imprévues.

En partant, il remercia chaleureusement tous les soldats de ses légions qui avaient contribué à la victoire et il les renvoya prendre leurs quartiers d'hiver dans leurs postes et leurs garnisons, à part quelques légionnaires d'élite qu'il avait vus accomplir certaines prouesses pendant la journée, ainsi que les capitaines des compagnies qu'il emmena avec lui auprès de Grandgousier.

En les voyant arriver, le bonhomme fut si joyeux qu'il serait impossible de le décrire. Il leur fit alors préparer le festin le plus magnifique, le plus copieux et le plus délicieux que l'on ait vu depuis le temps du roi Assuérus. En sortant de table, il distribua à tous la garniture complète de son buffet qui pesait un million huit cent mille quatorze besants d'or... De plus, il fit compter à chacun un million deux cent mille écus sonnants et trébuchants, pris à ses coffres ; de surcroît, il donna à chacun d'eux, à titre perpétuel (sauf s'ils mouraient sans héritiers), des châteaux et des terres voisines selon leur convenance : à Ponocrates il donna la Roche-Clermault, à Gymnaste Le Coudray, à Eudémon Montpensier, Le Riveau à Tolmère, à Ithybole Montsoreau, à Acamas Candes, Varennes à Chironacte, Gravot à Sébaste, Quinquenays à Alexandre, Ligré à Sophrone et fit de même pour ses autres possessions.

***Comment fut bâtie et dotée l'abbaye des Thélémites (pour Frère Jean des Entommeures),* Gargantua**, *ch. 53*

Le bâtiment était de forme hexagonale et conçu de telle sorte qu'à chaque angle s'élevait une grosse tour ronde mesurant soixante pas de diamètre ; elles étaient toutes semblables par leur taille et leur structure. La Loire coulait au nord et sur sa rive se dressait une des tours, baptisée Arctique ; la suivante en allant vers l'est était appelée Bel-Air ; l'autre, en continuant, Orientale ; l'autre après, Antarctique ; l'autre ensuite, Occidentale et la dernière, Glaciale. Il y avait entre chaque tour un espace de trois cent douze pas. Tout l'édifice comportait six étages en comptant les caves souterraines... Les gouttières saillaient du mur entre les fenêtres, peintes en diagonale d'or et d'azur, jusqu'à terre où elles aboutissaient à de grands chéneaux qui conduisaient tous à la rivière, en contrebas du bâtiment.

Celui-ci était cent fois plus magnifique que Bonnivet, Chambord ou Chantilly, car il comptait neuf mille trois cent trente-deux appartements, chacun comportant arrière-chambre, cabinet, garde-robe, oratoire et donnant dans une grande salle.

De la tour Arctique à la tour Glaciale se trouvaient les grandes bibliothèques en grec, en latin, en hébreu, en français, en italien et en espagnol...

De la tour Orientale à la tour Antarctique s'ouvraient de belles et grandes galeries, toutes peintes des exploits antiques, histoires et descriptions détaillées de la terre... Sur la porte était rédigée, en grosses lettres antiques, l'inscription suivante :

Ici n'entrez pas, hypocrites, bigots,
Vieux matagots, marmiteux, boursouflés,
Torcols, badauds, plus que n'étaient les Goths,
Ou les Ostrogoths, précurseurs des magots,
Porteurs de haires, cagots, cafards empantouflés.
Gueux emmitouflés, frappards écorniflés,
Bafoués, enflés, qui allumez les fureurs ;
Filez ailleurs vendre vos erreurs...

Ici n'entrez pas, juristes mâchefoins,
Clercs, basochiens, qui le peuple mangez,
Juges d'officialité, scribes et pharisiens,
Juges anciens qui les bons paroissiens
Ainsi que des chiens jetez au charnier ;
Votre salaire est au gibet.
Allez-y braire ; ici, il n'y a nul excès
Qui puisse en vos cours susciter un procès...

Ici n'entrez pas, vous, usuriers avares,
Briffauds, léchards, qui toujours amassez,
Grippeminauds, avaleurs de brouillard,
Courbés, camards, qui dans vos coquemars
De mille marcs n'auriez pas assez.
Vous n'êtes pas écœurés pour ensacher
Et entasser, flemmards à la maigre face,
Que la male mort sur-le-champ vous efface...

Joachim du BELLAY

1522-1560

Heureux qui, comme Ulysse, a fait un beau voyage,
Ou comme celui-là qui conquit la toison ;
Et puis est retourné, plein d'usage et raison,
Vivre entre ses parents le reste de son âge !

Quand reverrai-je, hélas, de mon petit village
Fumer la cheminée, et en quelle saison
Reverrai-je le clos de ma pauvre maison,
Qui m'est une province, et beaucoup d'avantage ?

Plus me plaît le séjour qu'ont bâti mes aïeux,
Que des palais romains le front audacieux :
Plus que le marbre dur me plaît l'ardoise fine,

Plus mon Loire gaulois que le Tibre latin
Plus mon petit Liré que le mont Palatin,
Et plus que l'air marin la douceur angevine.

Les Regrets

Pierre de RONSARD

1524-1585

Mignonne, allons voir si la rose
Qui ce matin avait déclose
Sa robe de pourpre au soleil,
A point perdu cette vesprée
Les plis de sa robe pourprée,
Et son teint au vôtre pareil.

Las ! voyez comme en peu d'espace,
Mignonne, elle a dessus la place,
Las, las ! ses beautés laissé choir !
O vraiment marâtre Nature,
Puisqu'une telle fleur ne dure
Que du matin jusques au soir !

Donc, si vous me croyez, mignonne,
Tandis que votre âge fleuronne
En sa plus verte nouveauté,
Cueillez, cueillez votre jeunesse :
Comme à cette fleur, la vieillesse
Fera ternir votre beauté.

Les Amours de Cassandre (Salviati)

Agrippa d'AUBIGNÉ

1552-1630

Tout cela qui sent l'homme à mourir me convie,
En ce qui est hideux je cherche mon confort :
Fuyez de moi, plaisirs, heurs, espérance et vie,
Venez, maux et malheurs et désespoir et mort !

Je cherche les déserts, les roches égarées,
Les forêts sans chemin, les chênes périssants,
Mais je hais les forêts de leurs feuilles parées,
Les séjours fréquentés, les chemins blanchissants.

Quel plaisir c'est de voir les vieilles haridelles
De qui les os mourants percent les vieilles peaux :
Je meurs des oiseaux gais volant à tire d'ailes,
Des courses des poulains et des sauts de chevreaux !

Heureux quand je rencontre une tête séchée,
Un massacre de cerf, quand j'oi les cris des faons ;
Mais mon âme se meurt de dépit asséchée
Voyant la biche folle aux sauts de ses enfants.

J'aime à voir de beautés la branche déchargée,
A fouler le feuillage étendu par l'effort
D'automne, sans espoir leur couleur orangée
Me donne pour plaisir l'image de la mort.

Un éternel horreur, une nuit éternelle
M'empêche de fuir et de sortir dehors :
Que de l'air courroucé une guerre cruelle,
Ainsi comme l'esprit, m'emprisonne le corps !

Jamais le clair soleil ne rayonne ma tête,
Que le ciel impiteux me refuse son œil,
S'il pleut, qu'avec la pluie il crève de tempête,
Avare du beau temps et jaloux du soleil.

Mon être soit hiver et les saisons troublées,
De mes afflictions se sente l'univers,
Et l'oubli ôte encore à mes peines doublées
L'usage de mon luth et celui de mes vers.

Ainsi comme le temps frissonnera sans cesse
Un printemps de glaçons et tout l'an orageux,
Ainsi hors de saison une froide vieillesse
Dès l'été de mes ans neige sur mes cheveux.

Si quelquefois poussé d'une âme impatiente
Je vais précipitant mes fureurs dans les bois,
M'échauffant sur la mort d'une bête innocente,
Ou effrayant les eaux et les monts de ma voix,

Milles oiseaux de nuit, mille chansons mortelles
M'environnent, volant par ordre sur mon front :
Que l'air par contrepoids fâché de mes querelles
Soit noirci de hiboux et de corbeaux en rond.

Les herbes sècheront sous mes pas, à la vue
Des misérables yeux dont les tristes regards
Feront tomber les fleurs et cacher dans la nue
La lune et le soleil et les astres épars.

Ma présence fera dessécher les fontaines
Et les oiseaux passant tomber morts à mes pieds,
Etouffés de l'odeur et du vent de mes peines :
Ma peine étouffe-moi, comme ils sont étouffés !

Le Printemps
Hécatombe à Diane (Salviati), Stances et Odes

Jean de la FONTAINE

1621-1695

Blois

Blois est en pente comme Orléans, mais plus petit et plus ramassé : les toits des maisons y sont disposés, en beaucoup d'endroits, de telle manière qu'ils ressemblent aux degrés d'un amphithéâtre. Cela me parut très beau, et je crois que difficilement on pourrait trouver un aspect plus riant et plus agréable. Le château est à un bout de la ville, à l'autre bout Saint-Solenne. Cette église paraît fort grande, et n'est cachée d'aucune maison ; enfin elle répond tout-à-fait bien au logis du prince. Chacun de ses bâtiments est situé sur une éminence dont la pente se vient joindre sur le milieu de la ville, de sorte qu'il s'en faut peu que Blois ne fasse un croissant dont Saint-Solenne et le château font les cornes…

… Ce que je vous assure être fort vrai est que M. de Chateaubriand et moi, nous déjeunâmes fort bien et allâmes voir ensuite le logis du prince. Il a été bâti à plusieurs reprises, une partie sous François Ier, l'autre sous quelqu'un de ses devanciers. Il y a en face un corps de logis à la moderne, que feu monsieur a fait commencer : toutes ces trois pièces ne font, Dieu merci, nulle symétrie, et n'ont rapport ni convenance l'une avec l'autre : l'architecte a évité cela autant qu'il a pu. Ce qu'a fait faire François Ier, à le regarder du dehors, me contenta plus que tout le reste : il y a force petites galeries, petites fenêtres, petits balcons, petits ornements, sans régularité et sans ordre ; cela fait quelque chose de grand qui plaît assez. Nous n'eûmes pas le loisir de voir le dedans : je n'en regrettai que la chambre où Monsieur est mort, car je la considérais comme une relique : en effet, il n'y a personne qui ne doive avoir une extrême vénération pour la mémoire de ce prince. Les peuples de ces contrées le pleurent encore avec raison : jamais règne ne fut plus doux, plus tranquille, ni plus heureux que l'a été le sien ; et en vérité de semblables princes devraient naître un peu plus souvent ou ne point mourir. J'eusse aussi fort souhaité de voir son jardin de plantes, lequel on tenait, pendant sa vie pour le plus parfait qui fût au monde…

… Quant au pays, je ne vous en saurais dire assez de merveilles… Vous m'en entendrez parler plus d'une fois ; mais en attendant,

Que dirons-nous que fut la Loire
Avant d'être ce qu'elle est ?
Car vous savez qu'en son histoire,
Notre bon Ovide s'en tait…

La Loire est donc une rivière…

C'est la fille d'Amphitrite,
C'est elle dont le mérite,
Le nom, la gloire, et les bords,
Sont dignes de ces provinces
Qu'entre tous leurs plus grands trésors
Ont toujours placé nos princes.

Elle répand son cristal
Avec magnificence ;
Et le jardin de la France
Méritait un tel canal.

Lettres à sa femme

Alfred de VIGNY

1797-1863

Chambord

(Cinq-Mars) partit avec Louis XIII pour Chambord, décidé à saisir la première occasion favorable à son dessein. Elle se présenta.

Le matin même du jour fixé pour la chasse, le Roi lui fit dire qu'il l'attendait à l'escalier du Lys ; il ne sera peut-être pas inutile de parler de cette étonnante construction.

A quatre lieues de Blois, à une lieue de la Loire, dans une petite vallée fort basse, entre des marais fangeux et un bois de grands chênes, loin de toutes les routes, on rencontre tout à coup un château royal, ou plutôt magique. On dirait que, contraint par quelque lampe merveilleuse, un génie de l'Orient l'a enlevé pendant une des mille et une nuits et l'a dérobé au pays du soleil pour le cacher dans ceux du brouillard avec les amours d'un beau prince. Ce palais est enfoui comme un trésor ; mais à ses dômes bleus, à ses élégants minarets, arrondis sur de larges murs ou élancés dans l'air, à ses longues terrasses qui dominent les bois, à ses flèches légères que le vent balance, à ses croissant entrelacés partout sur des colonnades, on se croirait dans le royaume de Bagdad ou de Cachemire, si les murs noircis, leur tapis de mousse ou de lierre, et la couleur pâle et mélancolique du ciel, n'attestaient un pays pluvieux. Ce fut bien un génie qui éleva ces bâtiments ; mais il vint d'Italie et se nomma le Primatice ; ce fut bien un beau prince dont les amours s'y cachèrent ; mais il était roi, et se nommait François Ier. Sa salamandre y jette ses flammes partout ; elle étincelle mille fois sur les voûtes, et y multiplie ses flammes comme les étoiles d'un ciel ; elle soutient les chapiteaux avec sa couronne ardente ; elle colore les vitraux de ses feux ; elle serpente avec les escaliers secrets, et, partout, semble dévorer de ses regards flamboyants les triples croissants d'une Diane mystérieuse, cette Diane de Poitiers, deux fois déesse et deux fois adorée dans ces bois voluptueux.

Mais la base de cet étrange monument est comme lui pleine d'élégance et de mystère : c'est un double escalier qui s'élève en deux spirales entrelacées depuis les fondements jusqu'au-dessus des plus hauts clochers, et se termine par une lanterne ou cabinet à jour, couronnée d'une fleur de lis colossale, aperçue de bien loin ; deux hommes peuvent y monter en même temps sans se voir.

Cet escalier lui seul semble un petit temple isolé ; comme nos églises, il est soutenu et protégé par les arcades de ses ailes minces, transparentes, et pour ainsi dire brodées à jour. On croirait que la pierre docile s'est ployée sous le doigt de l'architecte ; elle paraît, si l'on peut dire, pétrie selon les caprices de son imagination. On conçoit à peine comment les plans en furent tracés, et dans quels termes les ordres furent expliqués aux ouvriers ; cela semble une pensée fugitive, une rêverie brillante qui aurait pris tout à coup un corps durable ; c'est un songe réalisé.

Cinq-Mars

Honoré de BALZAC

1799-1850

Là se découvre une vallée qui commence à Montbazon, finit à la Loire, et semble bondir sous les châteaux posés sur ces doubles collines ; une magnifique coupe d'émeraude au fond de laquelle l'Indre se roule par des mouvements de serpent. A cet aspect, je fus saisi d'un étonnement voluptueux que l'ennui des landes ou la fatigue du chemin avait préparé.

— Si cette femme, la fleur de son sexe, habite un lieu dans le monde, ce lieu, le voici.

A cette pensée, je m'appuyai contre un noyer sous lequel, depuis ce jour, je me repose toutes les fois que je reviens dans ma chère vallée. Sous cet arbre confident de mes pensées, je m'interroge sur les changements que j'ai subis pendant le temps qui s'est écoulé depuis le dernier jour où j'en suis parti. Elle demeurait là, mon cœur ne me trompait point : le premier castel que je vis au penchant d'une lande était son habitation. Quand je m'assis sous mon noyer, le soleil de midi faisait pétiller les ardoises de son toit et les vitres de ses fenêtres. Sa robe de percale produisait le point blanc que je remarquai dans ses vignes sous un albergier. Elle était, comme vous le savez déjà, sans rien savoir encore, le lys de cette vallée, où elle croissait pour le ciel en la remplissant du parfum de ses vertus. L'amour infini, sans autre aliment qu'un objet à peine entrevu dont mon âme était remplie, je le trouvais exprimé par ce long ruban d'eau qui ruisselle au soleil entre deux rives vertes, par ces lignes de peupliers qui parent de leurs dentelles mobiles ce val d'amour, par les bois de chênes qui s'avancent entre les vignobles sur des coteaux que la rivière arrondit toujours différemment, et par ces horizons estompés qui fuient en se contrariant. Si vous voulez voir la nature belle et vierge comme une fiancée, allez là par un jour de printemps ; si vous voulez calmer les plaies saignantes de votre cœur, revenez-y par les derniers jours de l'automne ; au printemps, l'amour y bat des ailes à plein ciel ; en automne, on y songe à ceux qui ne sont plus. Le poumon malade y respire une bienfaisante fraîcheur, la vue s'y repose sur des touffes dorées qui communiquent à l'âme leurs paisibles douceurs. En ce moment, les moulins situés sur les chutes de l'Indre donnaient une voix à cette vallée frémissante, les peupliers se balançaient en riant, pas un nuage au ciel, les oiseaux chantaient, les cigales criaient, tout y était mélodie. Ne me demandez plus pourquoi j'aime la Touraine ; je ne l'aime ni comme on aime son berceau, ni comme on aime une oasis dans le désert, je l'aime comme un artiste aime l'art ; je l'aime moins que je ne vous aime, mais sans la Touraine, peut-être ne vivrais-je plus. Sans savoir pourquoi, mes yeux revenaient au point blanc, à la femme qui brillait dans ce vaste jardin comme, au milieu des buissons verts, éclaterait la clochette d'un convolvulus, flétrie si l'on y touche.

Le Lys dans la vallée

A
I
B
N
C
H
D
M
L
N
C
G
D
M
K

igaud. In. Sculp.
VÜE DU CHATEAU
Scitué sur vn rocher aubord de la Loire. Il ni a qu'ne porte par ou on y monte.
autre-fois a cet vsage parce que leurs Capacité contient vne grande rampe fort douce,
Du Milieu

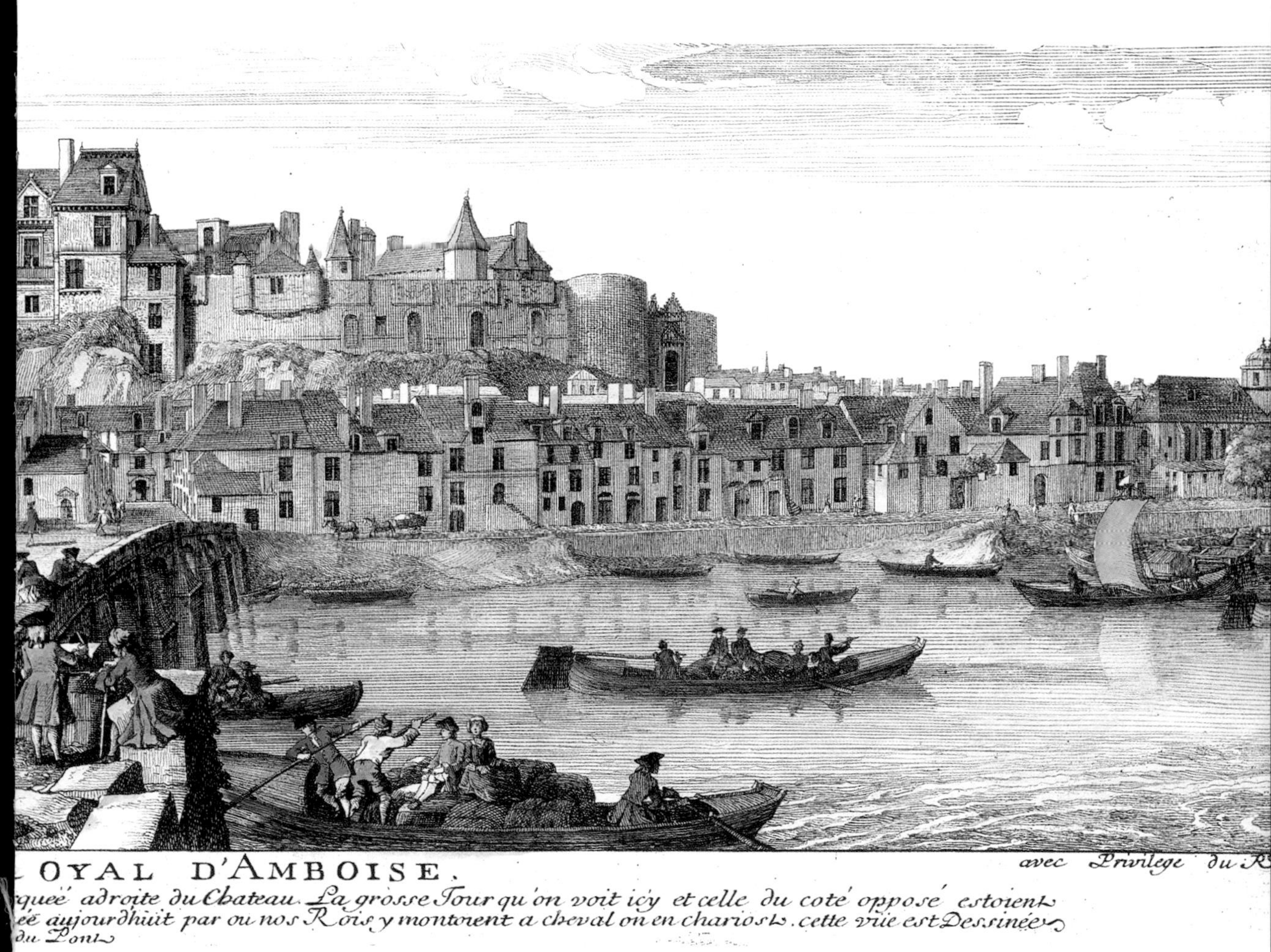
OYAL D'AMBOISE.
avec Privilege du R
quée adroite du Chateau. La grosse Tour qu'on voit icy et celle du coté opposé estoient
ée aujourdhüit par ou nos Rois y montoient a cheval ou en chariots. cette vüe est Dessinée
du Pont

BIBLIOGRAPHIE

d'AUBIGNÉ Agrippa, *Le Printemps*.
BALZAC Honoré de, *Le Lys dans la vallée*, 1835/1836.
BARBÉRIN Pierre, *Le monde de Balzac*, Arthaud, 1973.
BEDEL Maurice, *La Touraine*, J. de Gigord, 1950.
BELLANGER Stanislas, *La Touraine ancienne et moderne*, L. Mercier Editeur, 1845.
BONNEAU François, *Valençay, Palais d'Europe*, 1990.
BRAMLY Serge, *Léonard de Vinci*, J.-C. Lattès, 1988.
CALI Francis, *Merveilles de France*, Arthaud, 1963.
CARRÉ DE BUSSEROLLE J.-X., *Dictionnaire géographique, historique d'Indre et Loire et de l'ancienne province de Touraine*, Rouillé-Ladevèze, 1878.
CASTELOT André, *Le Château de Loches*, in Historia.
CASTELOT André, *Talleyrand*, Perrin, 1980.
Château de Cheverny, Saep, 1994.
Château de Langeais, Institut de France, Valoire, 1995.
Le Château de Langeais, Beaux-Arts.
Château de Montpoupon, Saep, 1984.
Château de Villesavin, Saep, 1988.
CHEVALIER L'ABBÉ C., *Promenades pittoresques en Touraine*, Mame éditeur, 1869.
CLOULAS Ivan, *Catherine de Médicis*, Fayard, 1979.
COLEMAN Marguerite, *Histoire du Clos-Lucé*, Arrault, 1937.
de COUGNY Gustave, *Chinon et ses environs*, Mame éditeur, 1898.
COURIER Paul-Louis, *Pamphlets*.
DEBRAYE Henri, *En Touraine*, Arthaud, 1931.
DECAUX Alain, *Histoire des Françaises*, Perrin, 1972.
DELPAL J.-L, *Le Val de Loire aujourd'hui*, Jeune Afrique, 1976
DUMORTIER Michel, *L'Empire des Plantagenêts*, Copernic, 1980.
FLAUBERT Gustave, *Par les champs et par les grèves*, 1847/1848.
FRANCHET D'ESPÈREY Dominique, *Le Château du Coudray-Montpensier*, 1988.
FRÉGNAC Claude, *Merveilles des châteaux du Val de Loire, Hachette*, 1985.
GAXOTTE Pierre, *Molière*, Flammarion, 1977.
GÉBELIN François, *Les châteaux de la Loire*, Alpina, 1961.
Guide du Val de Loire mystérieux, Tchou/Princesse, 1980.
LA FONTAINE Jean de, *Correspondance*.
LELONG Charles, *Touraine Romane*, Zodiaque-La nuit des temps, 1977.
LESUEUR Dominique, *Blois, Chambord et les châteaux du Blésois*, Arthaud, 1947.
LEVRON Jacques, *Châteaux et Vallée de la Loire*, Arthaud, 1958.
MICHELET Jules, *Histoire de France*, 1833/1844.
MIQUEL Pierre, Les *châteaux de l'Histoire de France*, Editions du Rocher, 1991.
ORIEUX Jean, *La Fontaine*, Flammarion, 1976.
ORIEUX Jean, *Talleyrand*, Flammarion, 1970.
des PRESLES Claude, Les *Sully*, France-Empire, 1987.
RABELAIS François, *Œuvres complètes*.
RAIN Pierre, *Chroniques des châteaux de la Loire*, Jouve, 1932.
RANJARD R., *La Touraine archéologique*, Gibert-Clarcy, 1949.
Richelieu, Collection Génies et Réalités, Hachette, 1972.
RONSARD, *Amours de Cassandre*, 1552.
ROUGE J.M., *Vieilles demeures Tourangelles*, Gibert-Clarcy, 1958.
SAINT-BRIS Jean, *Les fabuleuses machines de Léonard de Vinci*, 1985.
SCOTT Walter, *Quentin Durward*, 1823.
SEYDOUX Philippe, *Le Val de Loire des châteaux et des manoirs*, Le Chêne, 1991.
STENDHAL, *Mémoires d'un touriste*, 1838.
SULLY Maximilien de BÉTHUNE, *Les Oeconomies Royales*.
TERRASSE Charles, *L'art des châteaux de la Loire*, La Renaissance du Livre.
VIGNY Alfred de, *Cinq-Mars*, 1826.

REMERCIEMENTS

Marie-France Camus
Administrateur du Château de Langeais

Henri Dontenwille
Conservateur du Musée Rabelais et de La Devinière

Dominique Franchet d'Espèrey
Présidente des Amis du Coudray-Montpensier
et des Jardins Latécoère